科学的根拠に基づく

最高の勉強法

医師
安川康介
Kosuke Yasukawa

Maximizing Learning:

The Best Evidence-Based Techniques

KADOKAWA

はじめに

はじめまして、安川康介と申します。

この本を手に取ってくださり、どうもありがとうございます。

本書は、読者の方が「科学的に根拠のある効果の高い勉強法」について知り、実践することで、少しでもより良い人生を過ごせることを願って書きました。

「科学的根拠に基づく」とは、単なる個人の経験や伝統的な方法ではなく、心理学や脳科学の研究によって得られた客観的な証拠に基づいていることを意味します。

また、本書は特定の試験や資格に向けて勉強している人だけでなく、すべての学ぶ人に向けて書いた本です。ここで紹介する勉強法は、語学学習、キャリアアップのための勉強、趣味に関する学習、読書やネットでの情報収集など、新しい知識を身に付ける際の、どんな場面においても参考になるでしょう。

▼勉強するとは何か?

普段の生活の中で、「勉強」という言葉は頻繁に使われます。「勉強しなさい」と子どもに言う親もいますし、「今日は資格の勉強をする」と友人と会話することもあります。僕たちの日常では、勉強という言葉は、それが何を意味するのか自明であるかのような使われ方をしています。

しかし、よく考えてみると「勉強する」という行為は結構複雑です。

「勉強する」とは、人が何か新しい知識やスキルを得ようとする時に、文章を読む、講義を聞く、ノートに書く、といった外から見える行為のことだけではありません。頭の中で入力された情報をどのように処理しているのか、入力したあと、いつ、どのように扱っているのかについて、細かく見ていくと、「勉強する」という行為には人によって大きな違いがあります。

「勉強する」という時に実際に行われるプロセスは、普段は言語化されることが少ない、いわばブラックボックス的な行為であるような気がします。そのため僕たちは、勉強するという行為をよく「1時間勉強した」「20ページ勉強した」「50問解いた」など、時間、ページ数、問題数といったわかりやすい指標に変換したりするのです。

「勉強する」という行為を、単一の行為であると認識してしまうと、ある集団が同じ勉強の範囲を、同じ期間（例えば1週間）勉強したあとに試験を行い、誰かの点数が高ければ「あの人は頭が良い」、そして誰かの点数が低ければ「頭が悪い」といった捉え方をしてしまうことがあります。

でも本当は、勉強のプロセスに対して、僕たちはもう少し解像度を上げる必要があります。

▼どのようなプロセスがより効果的なのか、効果的でないのか？

「勉強する」という行為の中で、どのようなプロセスがより長期的な記憶形成に効果的であり、どのようなプロセスが効果的ではないのか、僕たち人間は100年以上も前から学術的な研究を行い、知見を積み上げてきました。研究によって、僕たちが直感的に効果的だと感じる勉強法が必ずしも効果が高いわけではないということもわかってきました。

現代では、勉強法に関して科学的な知見が蓄積されてきているにもかかわらず、いまだにそうした情報が社会で広く共有され、実際の教育の現場で広く利用されている状態にあるとは言えません。

不思議なことに今の義務教育では、勉強すべき内容は教わりますが、「どうしたら科学的根拠に基づく効果の高い勉強ができるのか」という勉強法そのものについては、あまり教えてくれないのです。

▼トップ1％以内でアメリカの医師国家試験に合格した勉強法

現在、僕は医師としてアメリカの病院で多様な人々と接しながら日々診療と医学生や研修医などの医学教育に携わっています。

振り返ると日本で医者を目指し、アメリカの臨床医として働くようになるまで、そして医者になってからも、結構長い時間を勉強に費やしてきました。そして、人生の限られた時間の中で、やりたいこと、やらなければならないことがたくさんある中で、いかに効率的に勉強したら良いのかについても考えてきました。

高校の頃はラグビーやお笑い芸に打ち込みながらも、成績は学年1位でした。慶應義塾大学医学部を卒業した時の成績は学年8位。医学部の最終学年は忙しく、病棟実習をこなしながら、日本各地での病院見学をし、夏休みにアメリカの病院で実習するための英語の勉強や準備を行いました。そして、最終学年の後半には難関であるアメリカの医師国家試験を卒業前に受験すると決心し、本格的に試験勉強を開始しました。

外国人としてアメリカの病院に採用されるためには、アメリカ医師国家試験に単に合格するだけでなく、高得点で合格することが重要でした。世界中の優秀な医者たちが、アメリカの病院で働くことを目指しており、特に大学病院でのレジデンシー（研修）は狭き門と言われています。大学病院のほとんどのポジションがアメリカの医学部を卒業した医者によって埋められるため、数千人という外国人医師が限られたポジションを争うことになります。

僕が学生だった頃、慶應義塾大学医学部では、日本医師国家試験の約2カ月前まで病棟での実習があったため、日本とアメリカ、2つの国家試験の勉強に費やせる時間はとても限られていました。

日本の医師国家試験の2週間前までは、勉強に使える時間の半分ずつを各試験勉強に割り当て、日本語と英語、それぞれ数千ページある教科書や数千問もある問題集に取り組みました。そうして日本の国家試験を受験後にアメリカの医師国家試験の勉強を続け、医学部の卒業式の前日に8時間かかるアメリカの試験を受けました。

その結果、無事にアメリカの医師国家試験を上位1％以内という高得点で合格することができました。

当時、多くの外国人医師たちがアメリカの医師国家試験や留学について情報を共有するためのインターネット掲示板がありました。そこには世界中の医者たちが、自分が取得した点数を書き込んでいましたが、僕よりも高い点数を取得した外国人医師の書き込みはありませんでした。

この時の勉強法は本書で紹介します。

▼誰でもすぐに実践できる

アメリカの国家試験で高得点を取ることができたこともあり、僕はミネソタ大学病院への約2千人の外国人医師の応募者の中から、面接に呼ばれる数十名に選ばれることになりました。この数十名から、さらに絞られ、数名の外国人医師だけが採用に至ります。

本来であれば、面接後に、研修希望者と病院がお互いの希望をリストとして提出し、コンピューターのアルゴリズムを用いて採用を決めるマッチング制度というプロセスを経る必要があるのですが、面接中にとても気に入っていただき、その場で仕事をオファーされ、目指していた臨床留学が実現することになりました。

アメリカに渡ってからも、臨床医として病院で働きながら、時にはさらに家事育児の大部分を担いながら、数々の試験(内科専門医試験、米国感染症専門医試験、集中治療心エコー試験など)に上位1%~10%で合格しています。

このように書くと、もしかしたら僕の頭がとても良いのではないか、すごい記憶力の持ち主だったからではないかと思われる方もいるかもしれません。でも、残念ながら僕の頭は特別良いわけではありません。元々の記憶力も高いわけではなく、むしろ低いのではないかと、自分で不安になることがあるくらいです。


そんな僕がこれまでなんとかやってこられた大きな理由の1つ、それは、自分が行ってきた勉強法が、科学的にも効果の高い勉強法だったからだと思います。

とはいうものの、最初から僕がやっている勉強法が科学的に効果が高いのだとわかってやっていたわけではありません。あとになって学習に関する論文を読みながら、「なるほど、そんなことだったのか」、そう感じたことを覚えています。

この本に書いてある勉強法は、誰でもすぐに実践できる、効果が確認された勉強法です。

▼自分の勉強法に自信が持てる

僕はYouTubeで医学的な情報を中心に発信しています（2024年1月現在チャンネル登録者数約14万人）。「科学的根拠のある勉強法に関する情報が、もっと世に広く知れ渡ってほしい」、そんなことを思って2023年に効果の高い勉強法や僕が行ってきた勉強法の一部を紹介する動画を投稿したところ、現在までに298万回以上再生され、想像以上に大きな反響がありました。

- この動画のおかげで目標に向かって進めそうです
- 50代になって大学に入りましたが本当に覚えられず苦労しています。この動画に出会えてよかった。頑張ります
- これを自分が子どもの時に知りたかった
- 中学生の時にこの動画に出逢いたかった
- 自分の勉強法に自信を持てた

動画を観た方からの数々のコメントが、この本を書く原動力になりました。

本書には、僕が知り得た科学的で効果的な勉強法のエッセンスを詰め込みました。

僕だけがやって、たまたまうまくいった勉強法を偉そうに教授する本ではなく、どちらかというと「おーい、みんな。勉強はこうやったほうがいいらしいよ！」といった内容の本です。

まず第1章では、科学的に効果があまり高くないとされている勉強法について紹介します。なぜなら、勉強の効率を上げたいのならば、比較的効果の低い勉強法についてて知り、こうした勉強法に使う時間を減らし、その分を効果の高い勉強にあてることが重要だと思うからです。

多くの人がやっている効果が高くない勉強法の例として、ただ繰り返し読むということや、参考書や教科書の内容をノートに書き写したり、まとめたりすることがあります。

第2章では、科学的にみて効果の高いとされている勉強法について、その根拠となる代表的な論文を一部紹介しながら、詳しく説明していきます。また、こうした勉強法を僕がどのように実際の勉強で使ってきたのかも具体的に紹介します。

本書は、知識の紹介だけでなく、あくまでも読者の方の生活に何かしらの良い変化を起こすことを目的としているため、効果の高い勉強法を普段の日常生活や勉強においてどのように実践できるのか、この本を通してみなさんと一緒に考えていきたいと思います。

第3章では、人類が古代に編み出した、そして今でもメモリーアスリートと呼ばれる人たちが使う記憶術について、数字や英単語など、いくつかの異なる例を使いながら説明します。

こうした技術は、特に覚えにくい情報を楽しく覚えたい時に有用です。

記憶術に関してはすでに多くの書籍がありますが、なるべく学習で使うような情報を例に、僕がどのように使うことがあるのか、一般的な勉強で記憶術を使う際のポイントや注意点についても触れながら紹介します。

第4章では、まず勉強におけるモチベーションについて、学術的なキーワードを紹介しながら、モチベーションを上げるためにはどのような方法が考えられるのかについて説明します。

また、この章で紹介する自己決定理論などの理論的枠組みは、勉強のモチベーションに留まらず、仕事や健康など、幅広い領域におけるモチベーションを考える際にも役に立つはずです。「勉強のヒント」では、記憶における好奇心の重要性など、他の章に収まらない勉強のために役に立ちそうな種々の情報を盛り込んでみました。

4章の後半では、何かを覚えることにとって重要な睡眠や運動について、科学的根拠を示しながら説明します。

勉強法に関する本は巷(ちまた)にあふれていますが、何か新しいことを学ぶためには、どのような方法を取れば、より効率的に学習できるのかについて、なるべく重要な点に絞ってわかりやすく説明することを試みました。義務教育ではなかなか教わらない、でも、できるだけ多くの人に知ってもらいたい「脳の使い方」です。

勉強法について、ただなんとなく「知る」というレベルではなく、「腑(ふ)に落ちる」というレベルまで掘り下げてお伝えできればと思って書きました。

すべての学ぶ人、そして教える人にとって、何か役立つことがあれば嬉(うれ)しく思います。

安川　康介

はじめに 002

CHAPTER 1 科学的に効果が高くない勉強法

CONTENTS

CHAPTER 2

科学的に効果が高い勉強法

アクティブリコール 048

分散学習 070

精緻的質問と自己説明 089

CHAPTER 4

勉強にまつわる心・体・環境の整え方

本文デザイン・図版・DTP　荒木香樹
校　正　根本雅弘（合同会社鼎）
イラスト　宇田川一美
編集協力　上村雅代
編　集　清水靜子（KADOKAWA）

CHAPTER 1

科学的に効果が高くない勉強法

1 繰り返し読む（再読）
2 ノートに書き写す・まとめる
3 ハイライトや下線を引く
4 好みの学習スタイルに合わせる

あなたもやっていませんか？ こんな勉強法

科学的に効果が高くない勉強法1

繰り返し読む（再読）

効果の高い勉強法について書く前に、多くの人が行っている「比較的効果の低い勉強法」について書いておきたいと思います。

それなりに時間をかけて勉強しているのに、あまり覚えられない、試験の点数が伸びない、という方は、これらの方法を中心に勉強してしまっていないか振り返ってみてください。また、勉強が得意な人でも、なぜ自分が周りと比べて勉強ができているのか考えることによって、さらに効率的な勉強法ができるようになると思います。

最初に取り上げたいのが、「繰り返し読む（再読）」という勉強法です。

教科書や本は何度も繰り返し読んだほうが良いと、どこかで聞いたり読んだりしたことがある人は多いかもしれません。繰り返し読む、再読するという勉強法は、最も一般的な勉強法の1つだと言えます。

アメリカのある名門大学の学生を対象にした調査では、アンケートに答えた84%の学生が、ノートや教科書の再読を試験対策に使う勉強法として挙げていました[1]。そして、アンケートに答えた半数以上(54・8%)の学生が、再読が最も重要な勉強法だと回答しました。

では、再読は、効果の高い学習方法と言えるのでしょうか。

結論から言うと、「ただ繰り返し読むこと」は、本書で説明するような他の勉強法と比較すると効果が低いことがわかっています。

研究

コロラド大学の大学生たちを対象とした研究では、約1500~1700語の文章を再読するグループと、再読しないグループに分け、内容をできるだけ思い出してもらう試験や短答形式の試験を2日後に受けてもらいました。文章を続けて2回読んだ学生と、1回読んだ学生では、2日後の試験の成績に有意な差(統計学的な分析に基づいて評価された差)はありませんでした[2]。

また、別の研究でも、教科書や科学雑誌からの異なる文章（学生にある程度馴染みがあるトピックやあまり馴染みのないトピック）を、再読するグループと、1回だけ読むグループに分けて、多肢選択法や短答形式などの問題を大学生たちに解いてもらいました。この研究では、直後、そして1日後の試験での正答率は、再読した学生と1回だけ読んだ学生の間で、ほとんどの場合に有意な差がなく、再読に大きな学習効果がないことを裏付ける結果となりました[3]。

一応補足しておくと、再読は書かれた内容をとても短期的に覚えるためには、1回だけ読む場合よりも効果があるとする研究報告は複数あります[2、4、5]。

例えば、高校生と大学生155人を対象とした研究で、参加者に文章を何度も読んだ直後に穴埋め問題を解かせたところ、1回だけ文章を読んだ学生よりも2回読んだ学生の正答率のほうが高いという結果がありました[4]。しかし、4回読んだ学生と2回読んだ学生とは、ほとんど点数が変わりませんでした。

再読はとても短期的には多少効果があるかもしれませんが、勉強の目的はより長期的な知識の習得であることを考えると、あまり有効な学習法とは言えません。

また、再読の学習効果については、どれくらいの間隔をあけて再読するのかによっても変わってくることが知られています。あとの章で説明する学習効果が高いとされる「分散学習」にも関わってきますが、同じ日に続けて繰り返して読むよりも、数日~1週間と間隔をあけて再読するほうが、内容を長く覚えていられることが報告されています[2、5]。

普通の再読に、学習効果があまりないと考えられる1つの理由としては、同じ文章を2回目に読む時のほうが文章に慣れすらすら読め「わかった気になってしまう」ため、さらに理解を深めたり、覚えたりするといった深い情報処理が新しく行われにくいことが考えられます[3]。

このような、表面的に情報が処理しやすくなったことで、実際には内容を記憶し深く理解していないにもかかわらず、覚えた気になってしまう、理解した気になってしまう心理的な現象は、**「流暢性の錯覚（幻想）」**（The fluency illusion）」と呼ばれています。

何かを学習する時には、この流暢性の錯覚に気を付けなければなりません[6]。

僕たちの脳は、実際にはしっかり記憶して、深く理解していないのに、自分の知識や習熟度を過大評価してしまうことがあるのです。

例えば、英単語の単語帳をパラパラめくり、見覚えのある単語が並んでいるのを見て、なんとなくその意味や使い方を覚えている気になってしまう。授業中に書いたノートを見返し、見覚えがあるため、覚えて理解していると思ってしまう。そんな経験がある人も多いのではないでしょうか。

効果的な勉強にとって大切なのは、ある程度積極的に自分の脳に負荷をかけることだとわかっています。学習の分野では、「**望ましい困難**（Desirable difficulties）」と呼ばれており[7]、本書の後半で述べる効果的な学習法は、この「望ましい困難」を生み出す方法だとも言えます。

ダンロスキー教授らによる報告書の評価基準について

さまざまな学習方法の有用性について、膨大な過去の研究を調べてまとめたケント州立大学心理学部のダンロスキー教授らによる有名な報告書があります[5]。この報告書で再読がどのように評価されているのかを紹介する前に、まず、この本で

QUESTION

流暢性の錯覚（幻想）とは何ですか？

度々取り上げることになるこの報告書について少し説明します。

この報告書では、比較的実践しやすい学習方法を取り上げ、次の4つの側面から有用性を評価しています。

- 教材：単語、文章、講義の内容、数学など、幅広い学習内容で使える勉強法なのか
- 学生の特性：年齢、各学生の能力、基礎知識など、異なる特性を持つ学習者でも使える勉強法なのか
- 学習状況：どのような状況で、何回行う必要があるかなど
- 評価基準：どのようなテスト・方法によってその学習法の効果が評価されたのか。暗記問題だけでなく理解や応用を試す問題でも検証されたのか

本書では、この報告書で「高い有用性」もしくは「中等度の有用性」と評価されたものを中心に、科学的に効果の高い勉強法として詳しく説明していきます。

学習の認知過程にはいくつかの段階がある

ところで僕のYouTubeチャンネルで、いくつかの勉強法について紹介したとこ

ろ、「これは、暗記ロボットの作り方ですか?」というコメントをいただきました。

この質問には、明確に「違います」と答えることができます。

教育学の分野では「教育目標の分類」というものがあり、学習における認知過程にはいくつかの段階があると考えます。教育心理学者であるブルームらによって開発された「ブルーム・タキソノミー」の改訂版では、認知の過程には、下の図にあるような低次から高次に至る認知過程があるとされています[8、9]。

学習方法の効果を科学的に検証する際、研究者たちはこうした段階について意識的であるため、ただ「内容をそのまま記憶している

学習における認知過程

高 ← 低

創造する ← 評価する ← 分析する ← 応用する ← 理解する ← 記憶する

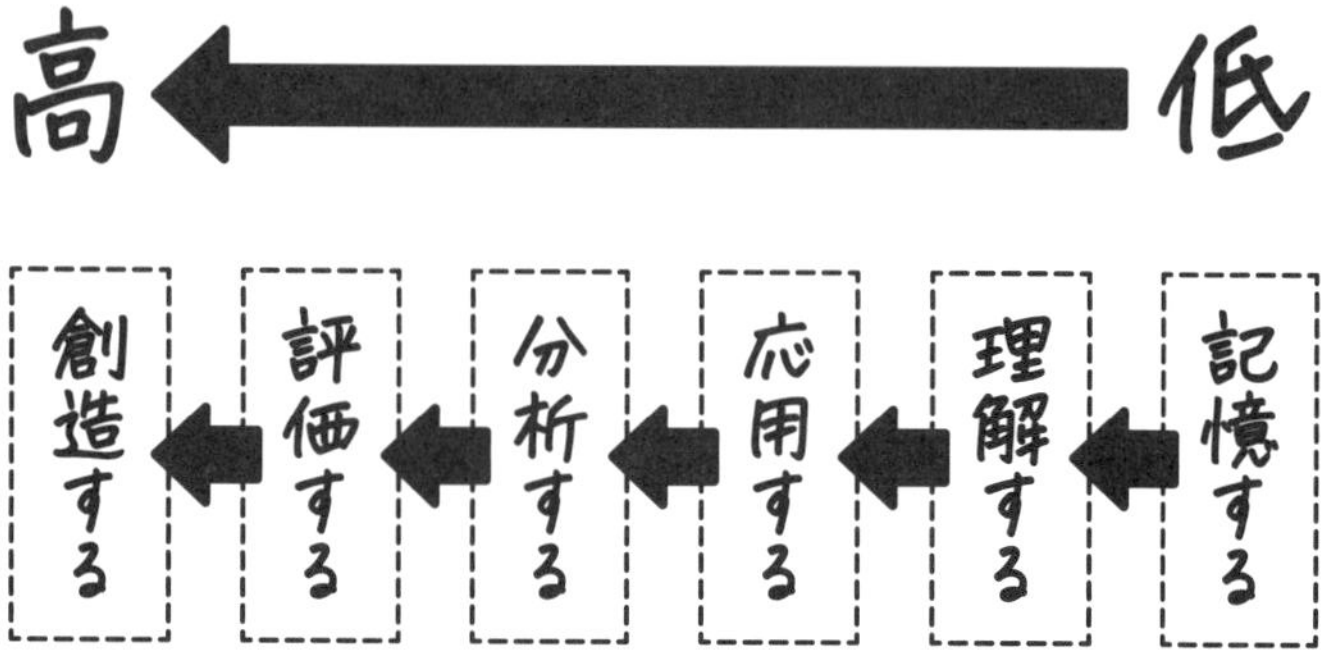

か」だけでなく、その知識を理解しているのか、応用できるのかについても検証しています。

ダンロスキーらの報告書でも、学習方法の有用性を評価する際、この点にはきちんと留意しています。

「記憶すること」は学習の基本

暗記は重要ではないと言われたりしますが、記憶するということは学習の基本であり、情報を記憶できなければ理解や応用もできません。

さらに、新しい情報を記憶するには過去の自分の知識と関連づけて覚えることが多く、全く何も理解せずに記憶するのは難しいものです。そのため、「記憶する」ことと、より高次の「理解する」といった認知過程は、複雑に絡み合っていると言えます。

話をもとに戻します。再読に関して、ダンロスキーらの報告書では、以下のように評価されています。

「今ある科学的根拠に基づき、再読の有用性は低いと評価する」

その理由として、例えば、大学生以外ではあまり効果が検証されていないこと、再読による理解を高める効果があまり明確ではないこと、そして最も重要な点として、後述する他の学習方法と比べて効果が低いことが挙げられています。

時間をかけて教科書や参考書、英単語の本を何度も繰り返し読んでいるのになかなか覚えられない、テストの点数が伸びないといった人は注意しましょう。

もちろん、何かを「読む」という場合に、頭の中でどのように情報が処理されているのかは、人によって異なります。あとで紹介する「精緻的質問」や「自己説明」など、脳により負荷がかかる、記憶への定着や理解力を高める作業を再読に組み入れている人は、その効果も違ってくるでしょう。

僕自身の勉強を振り返っても、教科書や教材をただ繰り返し読むということ、特に全体を繰り返し通読することは行ってきませんでした。医学を勉強するようになって、情報の量・教材の文章量が膨大であることも理由の1つです。

勉強する分野の文章量が多くなったり、難易度が高くなったりすると、繰り返し読むことが時間的にもなかなか難しくなります。

僕は、試験勉強をしていて特に高得点を狙いに行く時は、系統的な知識の土台を作るためにも、一度は教科書全体を読むようにしています（それも後述するような効果の高い勉強法を組み合わせながら読みます）。また、部分的に教科書や参考書を再読する時は、おもに「覚えていなかった知識を確認するため」に行っています。

僕の勉強法が絶対に正しい、みんなも真似（まね）してほしいというわけではありません。ただ、勉強法を考える時に参考になることがあるかもしれないので、本書では、ところどころに僕が実践している勉強の方法についても書いておきたいと思います。

⬇本書で効果的な勉強法を実践してみよう

本書では、科学的根拠のある勉強法を読者が読み進めながら実際に試せるように、工夫を施しています。

ページの下にときどき出てくる付箋の「QUESTION」(質問)、セクションや章の終わりにある「復習ノート」に、できるだけ書き込んで答えるようにしてみてください。その際はっきりと答えられない場合には、前のページに戻って知識を確認してください。

また、本書の内容について、読み進める過程であなたが考えたことや疑問に思ったことをページの余白にどんどん書き込んでみましょう。

復習ノート

☑ただ繰り返し読むこと（再読）の有用性は、ダンロスキーらの学習に関する報告書において、どのように評価されていますか？

☑「流暢性の錯覚（幻想）」とは何ですか？

あなたもやっていませんか？　こんな勉強法

科学的に効果が高くない勉強法2

ノートに書き写す・まとめる

再読の次に取り上げたい、あまり効果の高くない勉強法、それは「教科書や参考書の文章をノートにただ書き写す・まとめること」です。

教科書や参考書の内容を、綺麗な字でノートに書き写したり、まとめたりしているのに、試験の点数が芳しくない人は意外と多いのではないのでしょうか。参考書のポイントだと思う箇所や、英単語帳から英単語をノートに丁寧に書き写したり、まとめたりすることは、それだけで達成感があり、「勉強した気」になってしまう行為です。

研究

アメリカの高校生180人を対象に、ノートの取り方についての学習効果を調べた研究をみてみましょう[10]。この調査では、次のような複数のグループに学生を分け、アフリカの架空の部族に関する2000語の文章を高校生に読んでもらいました。

- Aグループ：各ページを読んだあとに、短く3行に内容をまとめる（要約）
- Bグループ：読んでいる時に重要だと思う文章が出てきたら、自分の言葉でノートに書く（パラフレーズ）
- Cグループ：重要だと思う文章を3行そのまま書き写す
- Dグループ：文章を読むだけ

そして、勉強直後と1週間後に内容についての試験を受けてもらい、学習効果を調べました。結果は、文章をそのまま書き写した生徒は、ただ文章を読んだ学生と変わらないというものでした。

書かれた文章をそのまま書き写す作業は、文章を記憶したり理解したりしなくてもできるうえ、脳で負荷のかかる処理がほとんど行われないため、学習効果が低いと考えられます。

それでは、自分の言葉でまとめる学習効果はどうでしょうか。この研究では、パラフレーズしたBグループと、より短く要約したAグループの点数は同等で、ただ読んだ学生や、そのまま書き写した学生よりも高い点数となりました。

読んだ文章を自分の頭の中で処理して言い換える、まとめることには、一定の効果があるとする研究報告は、このほかにも複数あります。

しかし、注意しなければいけないのは、何かを「要約」するという場合の方法と、その質です。どれくらいの基礎知識があって、どこの部分を重要と判断し、どれくらいの量の情報を、どれくらいの文章にまとめるのかなど、要約する能力と、要約した情報の質には、かなりの個人差があります。

アメリカの大学生を対象とした要約の学習効果を調べた調査があります[11]。心理学を勉強している大学生に、「論理学における誤謬（ごびゅう）」というトピックについて、以下のグループに分けて勉強してもらいました（実際にはより多くのグループに分けていますが省略します）。

- Aグループ：内容を友だちに教えるように要約する
- Bグループ：特に指示を受けず通常通り勉強する

学習後、大学生たちに内容についての応用問題を解いてもらったところ、2つのグループの試験の点数には有意な差はありませんでした。また、要約した内容を詳しくみてみると、約3分の1以上の学生の要約には、論理学での誤謬に関するきちんとした定義が記入されておらず、的確に情報を捉えた質の高い要約をしている学生では、試験の点数がより高かったことが報告されています。

要約をうまくできるようになるための特別な訓練を行うと学習効果が高まる、という報告もありますが[12]、そうした特別な訓練を多くの人が受けているわけではありません。さらに、後述するいくつかの学習法と比べても、要約の学習効果が低いことが報告されています。

ダンロスキーらによる報告書は、要約について以下のような評価をしています[5]。

「今ある科学的根拠に基づき、要約の有用性は低いと評価する」

要約するのがうまい学習者にとっては、効果的な学習方法になり得るとしつつも、多くの学習者（子どもや高校生、一部の大学生など）にはきちんと要約する訓練が必要であるとしています。

授業中などにノートを取ること自体（それを復習するという行為は別にします）には、どれほど学習効果があるのかについての57の研究をまとめて分析した研究報告によると、効果はあるけれど限定的である、と書かれています[13]。

新しく得た情報は、参考書に書き込んで記憶に定着

ここからは、僕の個人的なノートやまとめについての経験や考えを書きます。繰り返しになりますが、これが正しいというわけではなく、参考程度に読んでいただければと思います。試験勉強に必要な情報がある程度まとまった教材がある場合は、自分でまとめノートを作り直したり、別のノートに情報を書き写したりする必要性は低く、時間がもったいないと感じます。

高校と大学の授業でも、教科書に書いてあることをそのまま黒板に書く教師の授業や、授業の流れが教科書に忠実でありすぎるといった先生の授業では、（ノートが採点の対象になるといった特別な理由がある以外は、）個人的にはノートを取る理由はあまりないのではないかと考えます。

僕は高校や大学の時、そのような授業があれば、自分1人で教科書・参考書を読んだほうが効率的なので、講義をさぼることさえありました。また、もしも今、義務教育に戻ってノートを取らなければいけないという状況になったとしたら、勉強のヒントの章で述べる「コーネル式ノート」のようなノートを取ると思います。

アメリカの医師国家試験を受ける時、僕は、必要最低限の情報がまとまった教科書（といっても、500ページ以上細かい字で書かれたものでした）の余白に、下の写真のように問題集を解いている時に得た新しい情報を書き込むようにはしていました。試験に必要な情報を1つのソースに集約したうえで、あとで述べるより効果の高い勉強法を使って記憶に定着させていったのです。

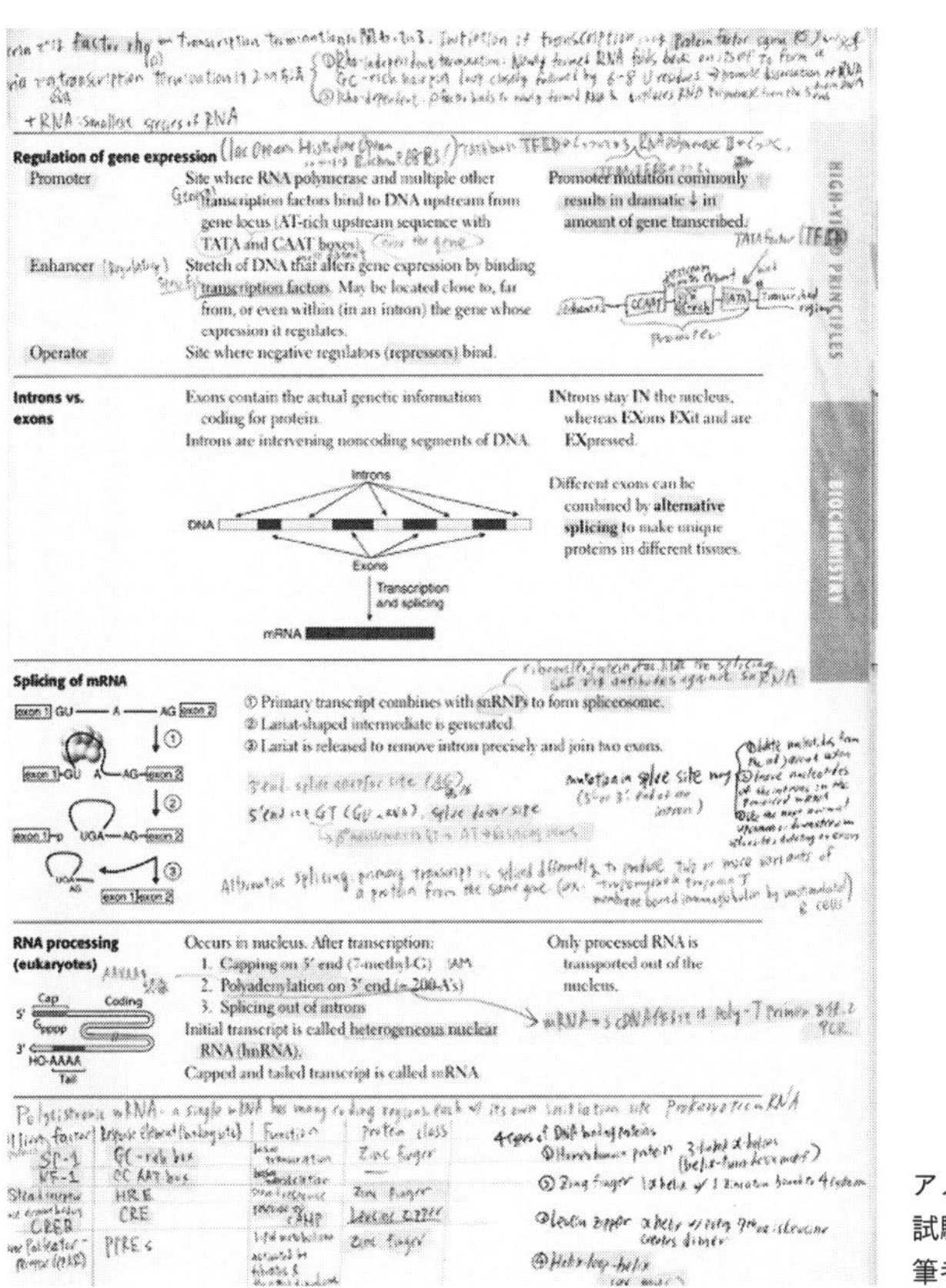

HIGH-YIELD PRINCIPLES　BIOCHEMISTRY

Regulation of gene expression		
Promoter	Site where RNA polymerase and multiple other transcription factors bind to DNA upstream from gene locus (AT-rich upstream sequence with TATA and CAAT boxes).	Promoter mutation commonly results in dramatic ↓ in amount of gene transcribed.
Enhancer	Stretch of DNA that alters gene expression by binding transcription factors. May be located close to, far from, or even within (in an intron) the gene whose expression it regulates.	
Operator	Site where negative regulators (repressors) bind.	
Introns vs. exons	Exons contain the actual genetic information coding for protein. Introns are intervening noncoding segments of DNA.	INtrons stay IN the nucleus, whereas EXons EXit and are EXpressed. Different exons can be combined by **alternative splicing** to make unique proteins in different tissues.
Splicing of mRNA	① Primary transcript combines with snRNPs to form spliceosome. ② Lariat-shaped intermediate is generated. ③ Lariat is released to remove intron precisely and join two exons.	
RNA processing (eukaryotes)	Occurs in nucleus. After transcription: 1. Capping on 5′ end (7-methyl-G) 2. Polyadenylation on 3′ end (≈ 200 A's) 3. Splicing out of introns. Initial transcript is called heterogeneous nuclear RNA (hnRNA). Capped and tailed transcript is called mRNA.	Only processed RNA is transported out of the nucleus.

アメリカ医師国家試験対策の教科書。筆者の書き込み例

科学的に効果が高くない勉強法3

あなたもやっていませんか？　こんな勉強法

ハイライトや下線を引く

あまり効果のない学習方法として、「ハイライトすることや下線を引くこと」があります。色とりどりの蛍光ペンを使って単語や文章をハイライトすると、なんとなく勉強した気になります。けれども残念ながら、これにはあまり効果がありません。

研究

例えば、アメリカの大学生を対象とした研究では、学生を８０００語の文章をハイライトするグループ、ハイライトしないグループ、他の人がハイライトしたものを読むグループに分け、１時間かけて読んでもらいました。１週間後、10分だけ文章を見直してから内容についてのテストを行ったところ、どのグループでもテストの点数に差がなかったことが報告されています[14]。

また、1992年に報告された大学生を対象とした研究では、大学で使う歴史の教科書の章を、下線を引きながら読むグループ、引かないでただ読むグループに分け、その1週間後に15分間、教材を見直してから内容についての試験を受けてもらいました[15]。2つのグループの試験の点数には差がないどころか、興味深いことに、推論問題については下線を引きながら読み、それを見直してから試験を受けた学生たちのほうが、点数が低いという結果でした。

もしかしたら、下線が引いてあるところだけに気が向き、全体の内容を関連づけて理解することが阻害されてしまった可能性があります。

そのほかにも、ハイライトを学習に取り入れていた学生のほうが、試験での成績が悪いという報告もあります[16]。

ハイライトや下線を引くという勉強法は、文章を要約することと同様に、個人差があると言われています。つまり、強調する場所を選ぶのがうまい学習者もいれば、そうでない学習者もいて、そのハイライトした教材をどのように勉強するのかも人によって違ってくるのではないかということです。

先ほどの、膨大な過去の研究を調べたダンロスキーらの報告書でも、ハイライトについてはこのようにまとめられています[5]。

「今ある科学的根拠に基づき、ハイライトや線を引くことは有用性が低いと評価する。これまで検証されたほとんどの状況や学習者において、ハイライトは成績向上にほとんど効果がない。ハイライトをより効果的に行う知識を学習者が持っている場合や、文章が難しい場合には役立つかもしれないが、推論を必要とする、より高度な課題では、かえってパフォーマンスを低下させる可能性がある」

「ハイライトで勉強した気になってしまう」に注意

このようにかなり低い評価となっているハイライトと下線ですが、僕は本や教科書、学術論文などを読む時、ハイライトしたり下線を引いたりすることがよくあります。昔から使い慣れている日本のuni・iのプロパス・ウインドウ蛍光ペンをアメリカでも購入して使っているくらいです。大事なところは蛍光ペン、それよりちょっと重要性は落ちるけれど強調したい箇所は赤いペンで下線と、使い分けることもあります。

ハイライトや下線を引くことは、それほど手間がかからないことと、繰り返し通読することはしないので、あとで覚え直すところ、何か資料として使えそうなところはマークしておきます（なので、みなさんも気にせずにこの本にハイライトや下線を引きましょう）。しかし、再読と同じで、あまり効果がないにもかかわらず「勉強した気になってしまう」ことがある点には注意し、ハイライトや下線を引くだけでなく、あとで述べる効果の高い学習法も行う必要があります。

復習ノート

☑ ダンロスキーらの学習に関する報告書において、「有用性が低い」とされている学習方法には何がありますか？

あなたもやっていませんか？　こんな勉強法

科学的に効果が高くない勉強法4

好みの学習スタイルに合わせる

誰かと勉強法について話している時に、「勉強法は人それぞれ。自分の好きな学習スタイルで勉強するのが一番効果的なんだよ」なんて言われたら、なんだかもっともらしく聞こえて「そうなのかもしれないな」などと思ってしまうかもしれません。実際に、インターネットには学習スタイルを判定したり、学習スタイルに合った学習をすることの大切さを説いたりするウェブサイトが多数あります。

学習スタイルに合わせた勉強法とは、例えば、視覚情報が好きな人は図やグラフや映像などの視覚的な情報を中心に学習をし、耳から聞くのが好きな人は音声教材などの聴覚の情報を中心とした学習を行い、読むのが好きな人は、文字情報を中心に学習する、といったことを指します。

学習者をこうした学習スタイルに分けて、その人に合った勉強法を行ったほうが効果が高いのではないかという意見は、なんとなく正しく聞こえるためか、アメリ力でも流行(はや)っています。

しかし、こうした学習者の好みの学習スタイルを判別し、学習方法を変えたほうが効率的なのかについては、今のところ科学的根拠はあまりないようです。

著名な認知心理学者たちが学習スタイルの効果についてまとめた「学習スタイル：概念と科学的根拠」という論文があります[17]。この論文では、学習者の学習スタイルを判別し、それに合わせた学習をしたほうが良いとする科学的な根拠は現時点では不十分であり、いくつかの研究では、それを裏付けない結果が出ていることが報告されています。

研究

例えば、学習者を、視覚情報を好む視覚型（Visualizer）か言語型（Verbalizer）にアンケートと空間認識能力のテストで分け、電子工学について、視覚情報を中心とした学習と文字情報を中心とした学習のどちらかをしてもらい、その効果の違いを調べた研究があります[18]。

この調査では、それぞれの学習スタイルに合わせた学習を行っても、特に学習効果は上がりませんでした。

また別の研究として、解剖学のコースを履修する大学生426人に、視覚型、聴覚型、読み書き型、運動感覚型（実際に体を動かして経験することで学習するのを好むタイプ）を判定する質問票に答えてもらったうえで、実際にどのように勉強したのかを調べて、成績との関係を調べたものがあります。

この研究では、自分の学習スタイルと合う勉強法を行った学生の成績は、自分の学習スタイルとは異なる勉強法を行った学生と比べて高くなかったことが報告されています[19]。

独自の勉強法に囚われすぎず、柔軟に試す

自分の好きな学習スタイルで勉強することがモチベーションにつながり、そうでない場合は勉強の意欲がなくなってしまうのであれば、好きなスタイルで勉強したほうが良いこともあると思います。

ただし、あまりに「自分にはこの勉強法が合っている」と囚(とら)われてしまい、本当に効果的な勉強ができていない場合は注意が必要です。

なぜなら、このあと何度か説明させていただく通り、効果の高い勉強法というのは必ずしも自分ではその効果が実感できないからです。試してみた時の感覚では

「これはあまり良くないなあ」「あまり覚えられていないないなあ」と感じる学習法が、実は長期的にみればより効果が高いということもあります。

ですから、あまり「他人と違う自分にだけ合った勉強法」に囚われすぎずに、本書で紹介している勉強法を柔軟に試して、取り入れてみるということが大切だと思います。

さて、ここまで一般的に行われているけれどもあまり効果的ではないと考えられている学習方法について書いてきました。

時間をかけて、ハイライトや下線を引きながら繰り返し教材を読んで、ノートに書き写したり、まとめたりして努力しているにもかかわらず、成績が良くなかった、結果が出せなかった人は、「頭が良くない」のではなく、「今までの勉強法が良くなかった」だけだと思います。そうした人は、勉強に対するアプローチを変えるだけで、今までよりも遥かに良い結果が出せるはずです。

CHAPTER 2

科学的に 効果が高い勉強法

1 アクティブリコール

2 分散学習

3 精緻的質問と自己説明

4 インターリービング

科学的に効果が高い勉強法1

アクティブリコール

ここからは、学習において科学的に効果が高いとされている効率的な勉強法について、その根拠となる論文の一部を紹介しながら説明していきます。本書で紹介する効果的な勉強法を意識し、実践するだけで、勉強の効率は劇的に変わってくると思います。

アクティブリコールとは

まず、学ぶために決定的に重要なのが「**アクティブリコール**（Active recall）」です。

なんだか難しい言葉ですが、簡単に言えばアクティブリコールとは「勉強したことや覚えたいことを、能動的に思い出すこと、記憶から引き出すこと」です。

「え？ 記憶したいことを頑張って記憶から引き出す？ それだけ？」、そう思われる方も多いかもしれません。

実は、これまでの学習に関する数多くの研究から、何かを記憶するためには、それを積極的に思い出す作業や、脳みそから頑張って取り出す作業こそが、決定的に重要だということが明らかになっています。

学術的にはアクティブリコール以外にも、**想起練習・検索練習**（Retrieval practice）、**練習テスト**（Practice test）と呼ばれることがありますが、同様の概念です。

ちなみに、情報を積極的に思い出すことによって、その情報が長期記憶に定着しやすくなる現象のことを**テスト効果**（Testing effect）といいます。「想起練習」、「練習テスト」、その効果である「テスト効果」というと、一般的に想像するような試験やクイズなどを受けないといけないのかと思われるかもしれません。しかし、試験やクイズに限らず、とにかく記憶から引き出す作業であれば効果が期待できるので、本書ではアクティブリコールという言葉を中心に使いたいと思います。

多くの方が持つ勉強のイメージ

多くの人は勉強に対して、次のページのようなインプット中心のイメージを持っているのではないでしょうか。

例えば、ある教科書を100ページ読んだAさんと200ページ読んだBさんがいたとします。「どちらの人が多く学びましたか?」と聞かれたら、200ページ読んだBさんと答える人のほうが多いのではないでしょうか。

インプットの量で、学習を評価してしまうこうした考え方は、とても一般的です。できるだけ多くの文章を読む、できるだけたくさん講義を聴く、できるだけインプットの量やそのための時間を増やすことが良い勉強法だと考えている人が多いかもしれません。

しかし、このインプットだけしか行わない勉強方法というのは、科学的には効率が悪い

多くの人が持つ勉強のイメージ

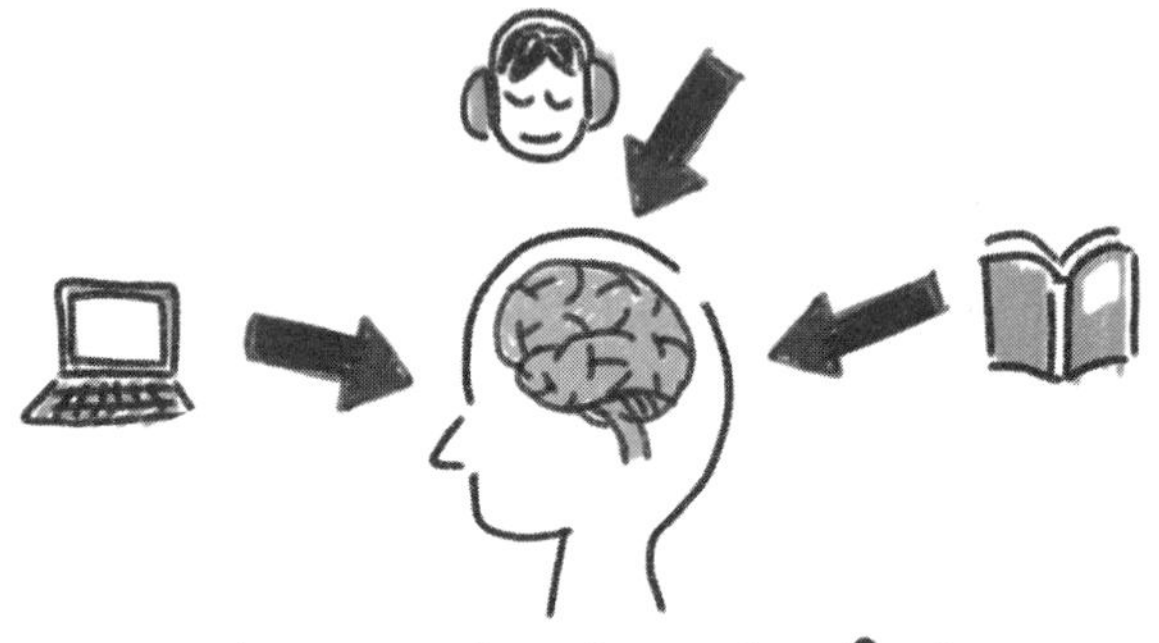

ことがわかっています。

実際に効果的な勉強のイメージ

では、科学的に効果が高いとされている勉強とは、どのようなものでしょうか。実際に効率的な勉強のイメージが下の図です。

勉強した内容を思い出す、記憶から取り出す作業（例えば、覚えたことを白紙に書き出したり、練習問題を解いたり、テストを受けたりすること）について、すでに覚えたことを単に確認する作業であるとか、学習の効果を判定するための作業であると勘違いしている人がいます。

けれども、学習に関する数多くの研究から、思い出す作業、アウトプットすることこそが、

効果的な勉強のイメージ

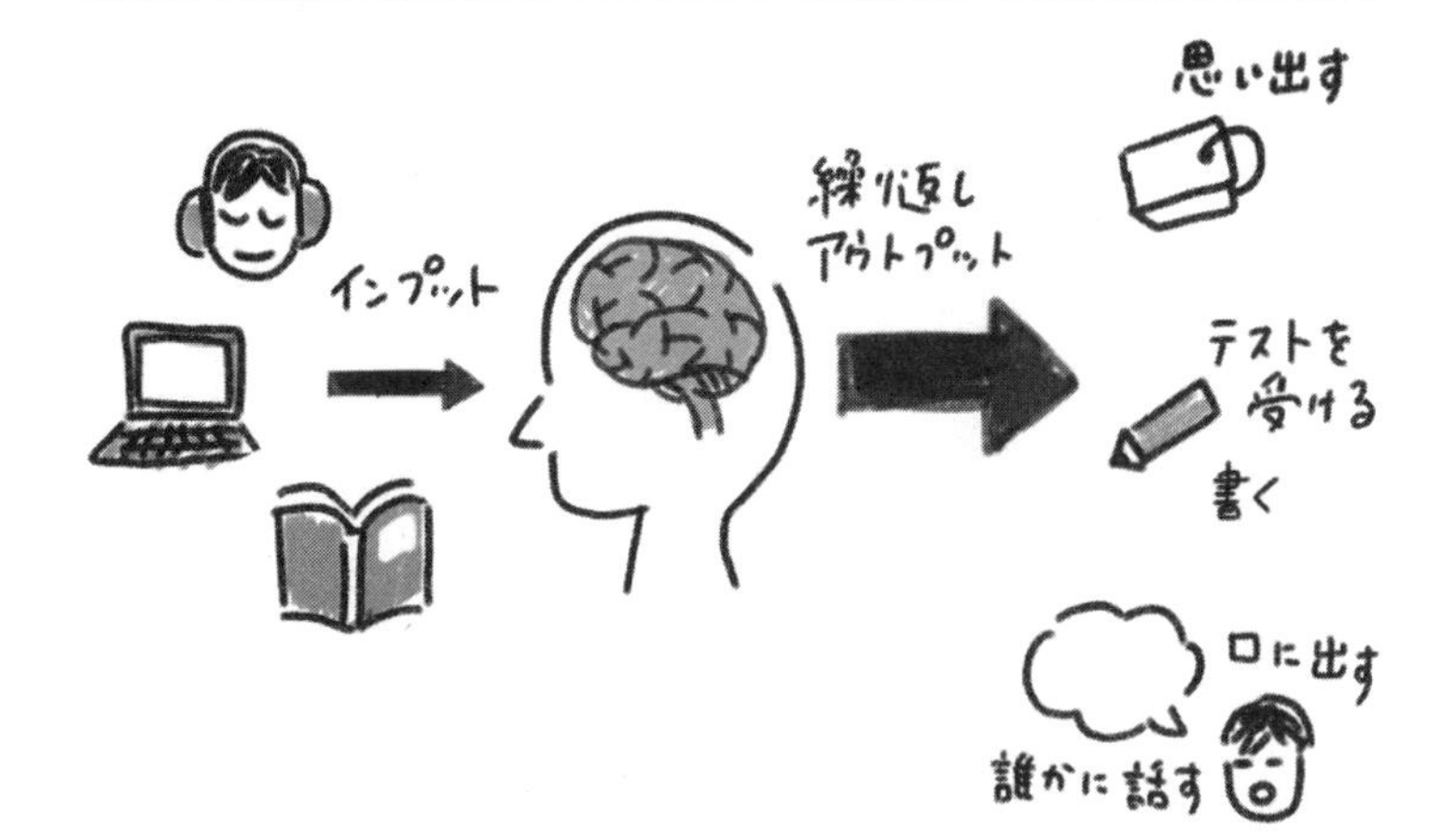

記憶を長期に定着させる効果的な勉強法だということがわかっています。

研究

アクティブリコールの効果を示す研究報告はたくさんありますが、ここではいくつか代表的なものを紹介します。

その一つは、心理学の研究者であるローディガーとカーピックが2006年に発表した研究報告です[20]。この研究では、120人の大学生に、TOEFLの教科書に載っている2つの文章を読んでもらいました。一つは太陽について、もう一つはラッコについての文章です。

実験では、各文章について7分間の学習セッションを2回行いました。1つの文章については、

アクティブリコールと通常の勉強法の効果比較

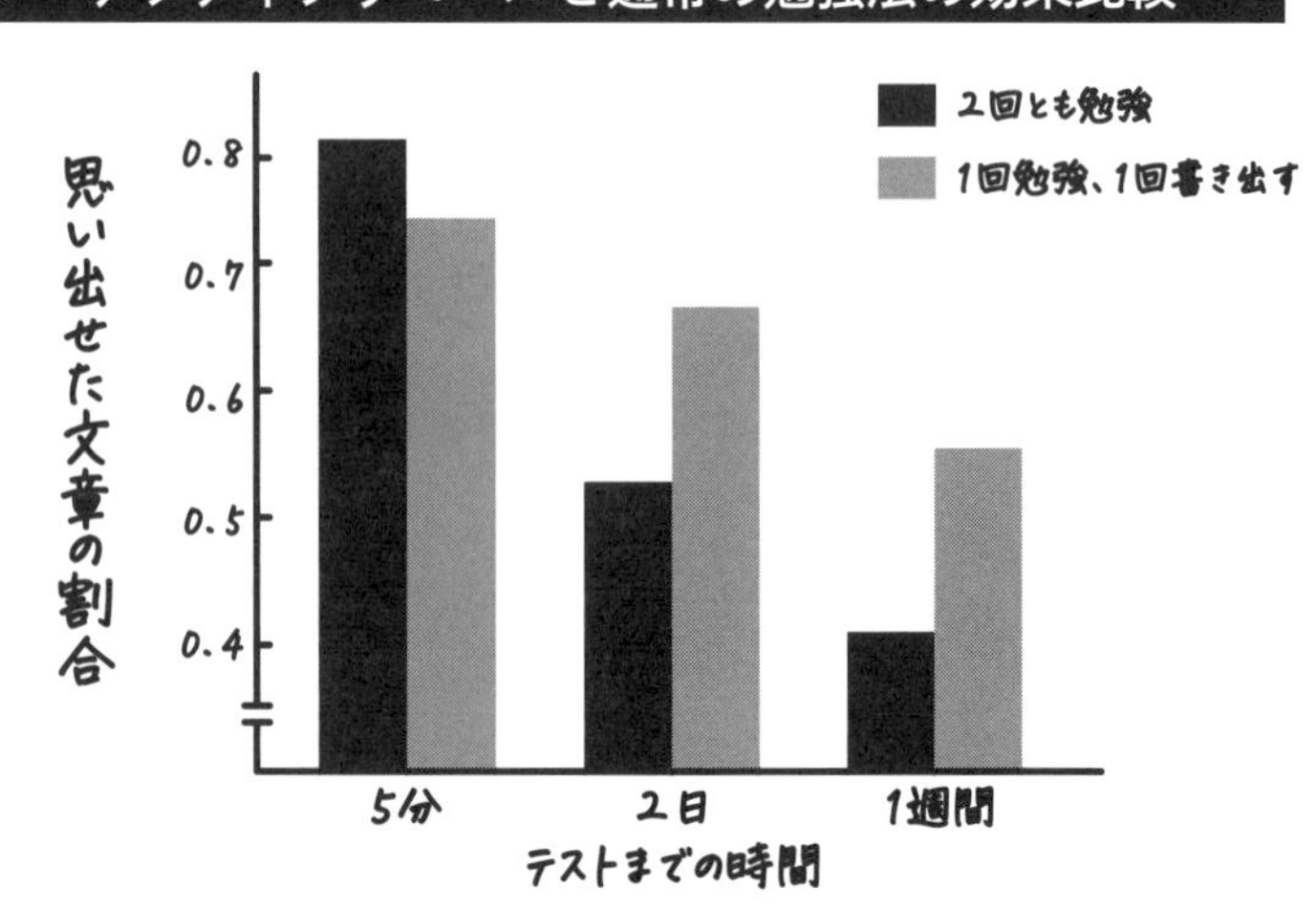

合計14分をかけて何度も読み返す通常の勉強をしてもらいました。もう1つの文章については、最初の7分間は読んで学習し、次の7分は、その文章を思い出せるだけ書き出すアクティブリコールを行いました。この場合、文章を読んだのは最初の7分間だけです。

学習セッションが終わったあと、学生たちは3つのグループに分けられ、それぞれ学習から5分後、2日後、1週間後に内容をできるだけ書き出してもらうというテストを受けました。

結果は、1回勉強してからアクティブリコールをした学生たちのほうが、通常の勉強を2セッション行った学生たちよりも、直後のテストでは若干点数が低かったものの、2日後、1週間後のテストでは明らかに点数が高かった、というものでした。文章を読んだ時間は半分であるにもかかわらず、2日後、1週間後では大きな差があることがわかります。

研究

もう1つ、アクティブリコール（想起練習）の効果に関する研究で有名なものとして、科学雑誌サイエンスに掲載されたカーピックらが行ったものがあります[21]。

この研究では80人の大学生を4つのグループに分けて、異なる方法で動物に関する科学的な文章を勉強してもらいました。

- Aグループ：1セッション（5分間）だけ通常通りに勉強する
- Bグループ：4セッション（計20分）、繰り返し読んで勉強する
- Cグループ：最初のセッションで文章を読んでもらい、概念マップ（関連する概念を図式化する学習法）についての説明を受けてから、25分間かけて文章を見ながら自分で概念マップを作成する
- Dグループ：最初のセッションに文章を読み、次の10分で文章を見ずにできるだけ内容を思い出してパソコンに打ち込む（アクティブリコール）。その後、また文章を5分読み、10分かけて内容を思い出してパソコンに打ち込んでもらう。

1週間後、文章の内容についてそのまま聞く問題と、推論をしなければならない問題の2種類を解いてもらいました。結果は、次のグラフのようになりました。

実験結果が示しているのは、1セッション勉強しただけのAグループよりも、繰り返し勉強したBグループと概念マップを用いて勉強したCグループのほうが正答率が高く、さらに

アクティブリコール（想起練習）をしたDグループが一番正答率が高いというものでした。

想起練習の効果をさらに確かめるために、カーピックらは120人の学生に対し、学習する文章の形式を変え、さらに最後の試験の形式（短答式問題と概念マップ作成）も変えてみました。結果は、最初の調査と同様に、アクティブリコールを使って学習した学生たちのほうが、点数が高いという結果でした。

また、興味深いことに、概念マップを作成しなければならない試験問題であっても、概念マップを作って勉強したグループよりも、アクティブリコールをして勉強したグループのほうの点数が高くなりました。

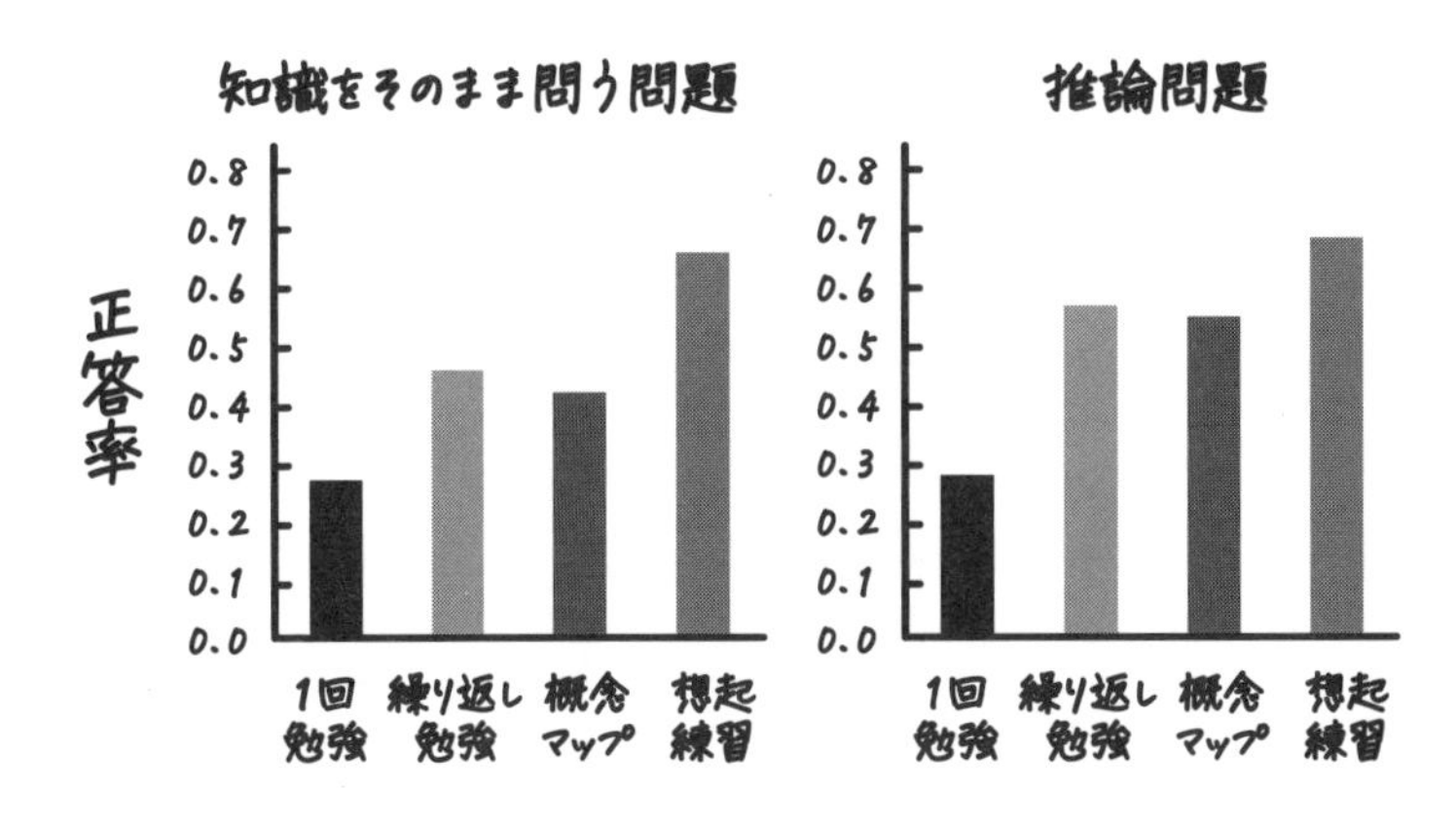

アクティブリコールのことを「ただの暗記」なのではないかと思う人もいるかもしれませんが、アクティブリコールには教材の内容について直接聞く問題だけでなく、推論など、より深い理解が必要な応用問題に対しても効果があります[5]。

勉強の本当の効果は、勉強している本人には実感しにくい

この調査では、勉強をした直後、1週間後にどれくらい自分が内容を覚えていると思うかを学生に予想してもらいました。一番内容を覚えていると予想したのは4セッションを通常通りに勉強したグループで、アクティブリコールをしたグループは、自分たちはそれほど覚えていないだろうと予想しました。

各学習法の効果についての主観的な予想

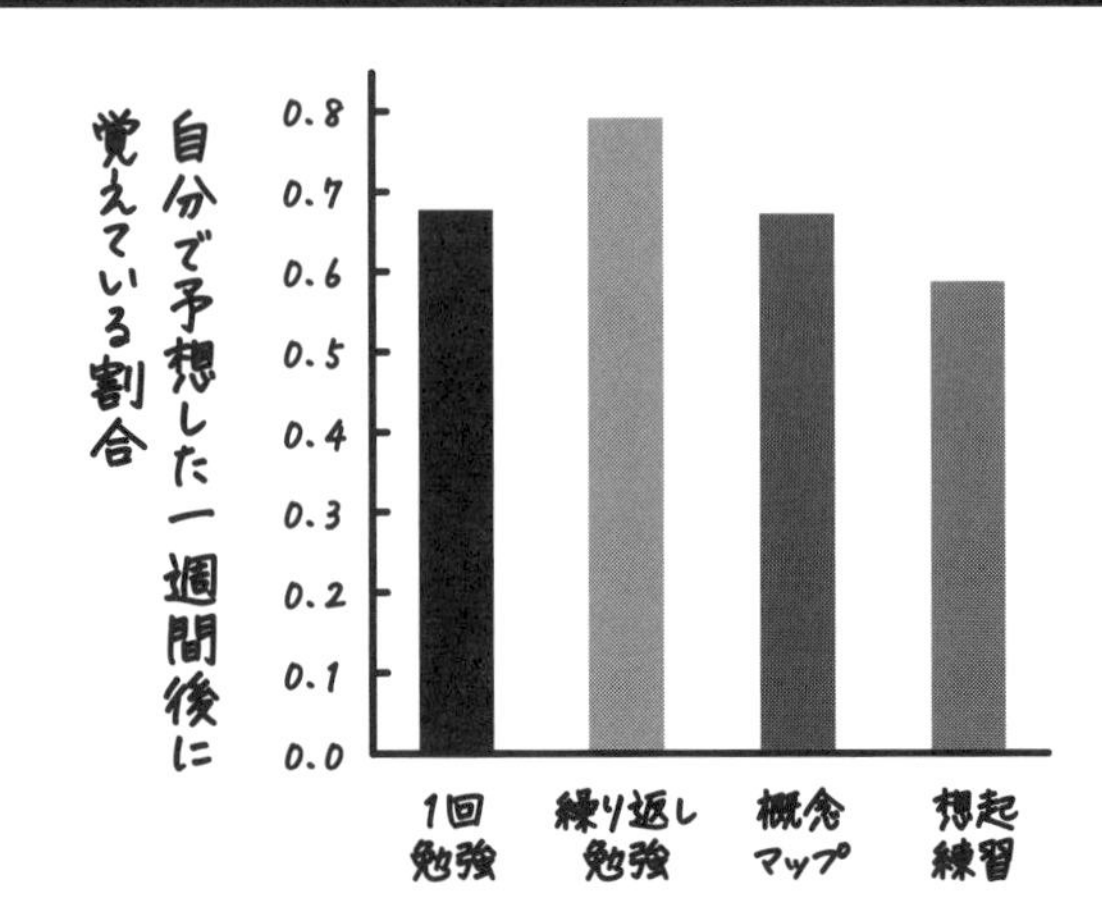

つまり、アクティブリコールをしたグループは勉強直後は、他の勉強方法で勉強した人たちに比べて一番自信がなかったのです。実際は一番効果がなさそうだと評価されたアクティブリコールが、一番効果があったというわけです。

この「勉強の本当の効果は、勉強している本人には実感しにくいことがある」、ということは、重要なポイントです。

繰り返し教材を読むほうが、なんとなく効果があるように感じてしまうため、同じ勉強法を続けてしまうのは、時間がもったいないので気を付けなければいけません。

アクティブリコール（想起練習や練習テスト）の有効性を示す研究報告は、実は100年以上も前から存在していて[22、23]、その有効性は、さまざまな年齢、教材、試験形式において確認されてきました。

実際の中学校の教育現場で有効性を示したものとして、例えばローディガーらが行った研究があります[24、25]。これらの研究では、中学の科学と社会のクラスで、成績に関係ないか、ほとんど関係ないクイズ（多肢選択形式で、クリッカーと呼ばれるオーディエンス・レスポンス・システムを使って実施）を行うことで、クイズに出された範囲の学期末の試験の成績が向上したことが確認されました。

また、アクティブリコールを時間をおいて繰り返すと、学習効果が高いことがわかっています。これについてはあとの「分散学習」で詳しく説明したいと思います。アクティブリコールは、情報を積極的に思い出すことで、「この情報は大切だよ！」と自分の脳に言い聞かせ長期記憶として保管してもらう、そんなイメージを僕は持っています。

2013年のダンロスキーらによる報告書でも、練習テスト（Practice test, アクティブリコールと同様の概念です）については、次のように結論づけられています。

「以上のような科学的根拠に基づき、練習テストの有用性は高いと評価する。テスト効果は、実にさまざまな範囲の練習テストの形式、教材の種類、学習者の年齢、効果の測定方法、記憶定着の期間などにおいて示されている。したがって、練習テストは幅広い応用が可能である。他の学習法と比べ、特に

「時間がかかるわけでもなく、最小限の訓練で実施できる」[5]

特に効果の高いアクティブリコールの実践方法は？

ここまでアクティブリコールの有用性について述べてきました。
アクティブリコールの中でも、特に効果的なアクティブリコールのしかたがあるかというと、これに関しては直接比較した研究は少なく、明確な結論は出ていません。しかし、思い出すための手掛かりが少ない状態でアクティブリコールを行うほうが、学習効果が高いことを示唆する研究が複数あります。

研究

例えば、1989年に発表されたグローバーらによる研究では、読んだ情報を何もヒントのない状態で思い出した学生たちのほうが、文章の一部が空欄になっているというようなヒントのある状態で思い出した学生たちよりも、記憶の定着が良かったことを報告しています[26]。また、複数の選択肢から正解を選ぶ多肢選択形式問題よりも、答えを自分で書き出す短答式問題を行ったほうが、記憶に定着しやすいという研究結果もあります[27]。

ほかにも、英語の名詞のリストを覚える研究では、英単語の最初のアルファベットを与えられて思い出すグループよりも、白紙を渡されてできるだけ覚えている単語を書き出すグループのほうが、最後のテストで多くの単語を覚えていました[28]。

つまり、ヒントが与えられた空欄問題や、複数の回答の中に正解が含まれる多肢選択形式問題を解くなどよりも、なるべく手掛かりなしに、記憶から引き出そうとする作業のほうが記憶の定着に良い可能性があるのです。

アクティブリコールにはいろいろな方法があります。

例えば、練習問題や過去問を解く、模試を受ける、暗記カードやフラッシュカードを使う、紙に書き出す、学んだことを誰かに教えるなどです。問題を見て、ただ答えを思い出すだけでも効果が確かめられています[29]。大切なのは、覚えたことを頑張って記憶から取り出すことなのです。

スキマ時間に、例えば満員電車で本が開けないような状況で、授業で習ったことや本で読んだこと、勉強したことをできるだけ思い出そうとすることも立派な勉強だと僕は思っています。

学生や資格試験の勉強をしている人であれば、ほとんどの人が問題集や過去問を解いたり、暗記カードを使ったりしていることと思います。しかし、何かの教材を読んでいる時、その範囲の練習問題が常にあるわけではありませんし、問題集によっては試験範囲を網羅的にカバーしておらず、問題集で問われなかったところが穴になる可能性もあります。そのため教材を読んでいる時からアクティブリコールを意識する必要があります。

記憶から引き出す作業をより重視し、インプット中心の勉強から、アウトプットをより重視した勉強に変えてみることが大切だと思います。

僕が医学の知識を覚える時に使った「白紙勉強法」とは？

ここで、僕が医学の膨大な知識を覚えなければならない時に使ってきた、そして今でも使う**「ブツブツ呟いて教えるフリをしながら書き出す白紙勉強法」**を紹介します。

長ったらしい、大そうな名前を付けてみましたが、至ってシンプルな勉強法です。

用意するものは次の3つだけです。

（用意するもの）
- 自分の勉強したい情報：英単語帳、学校の教科書、資格試験の参考書、興味のある分野の本、新聞雑誌など
- 白紙：要らないノート、使わないプリントの裏など（僕は、プリンター用紙をよく使いますが、何でも構いません）
- 書くもの：自分の好きな書き心地のペンや鉛筆（ちなみに、僕はZEBRA社のSARASA Clip 0.5をよく使っています）

やり方も、至ってシンプルです。

①英単語のリスト、教科書の章や段落、新聞や本など、覚えたい情報をまず読みます。その後、その情報を見ないで、覚えたい内容を、白い紙にできるだけ書き出していきます。

その際のポイントは、元の情報を見ない、つまり**記憶の手掛かりがない状態**で、

頑張って記憶から内容を引き出すことです。アクティブリコールの劇的な効果を示したカーピックらの行った研究でも、学習者がしたことは、学んだ内容をただ紙にできるだけ書き出す、パソコンにできるだけ打ち出すというとてもシンプルなものでした。

あとに残すためのノートを書くわけではなく、ただアウトプットするためだけなので、文字を綺麗に書く必要はありません。僕はもともと字が汚いので、このアウトプットの書き出しは、自分でも読めないくらいの字で書きなぐることがあります。

覚えにくい内容や難しい内容の場合、声に出しながら書くようにします。これは、ある

筆者が使う「白紙勉強法」

情報をただ黙読するよりも、書き出したり、ブツブツ呟いたり、声に出したりしたほうが記憶に残ることが知られていて**プロダクション効果**（Production effect）と呼ばれています[30、31]。

過去の研究では、おもに情報の入力段階において効果が調べられていますが、僕は最初に覚えようとする段階（最初に情報を読んでいる段階）、そして思い出そうとする段階の両方で使うことがあります。

さらに、誰かに教えているフリをしながら、アウトプットすると、より効果は高いと思います。「Learning by teaching（教えることで学ぶ）」、「Teaching is learning（教えることは学ぶことである）」とよく言われるように、

白紙勉強法のやり方

手順① 覚えたいことを元の情報を見ないで書き出す

- ポイント1　あとに残すためのものではないので書きなぐりでOK
- ポイント2　覚えにくいものは声に出しながら書く（プロダクション効果）
- ポイント3　誰かに教えているフリをしながらアウトプットする（プロテジェ効果）

手順② わかっていないこと、忘れていることについて教科書を見直し情報を確認する

手順③ ①と②を繰り返す

手順④ 時間をおいてまた、①～③を繰り返す

誰かに教えることは、実際に情報の整理や記憶の定着を促す効果が確かめられています[32、33]。

誰かに教える、または教えようとすることで、その学習内容の理解が深まることを**プロテジェ効果**（Protégé effect）と言います。興味深いことに、実際に誰かに教えなくても、あとで誰かに教えることを前提に勉強すると、学習効果が高まるという研究報告があります[34]。よく成績の良い生徒が他の生徒に教える光景を見ることがあるかもしれませんが、実はより効果の高い学習をしているのは「教えている側」なのです。

僕は、昔からこうした科学的根拠を知っていたというわけではありません。この「**ブツブツ呟いて教えるフリをしながら書き出す白紙勉強法**」という僕が行ってきた地味な勉強法が、学習において大切なテスト効果にプロダクション効果とプロテジェ効果を合わせて利用した勉強法であることを、あとになって知りました。

そうしていったん紙にアウトプットし終えたら、次に②、わかっていないこと、忘れていることについて教科書を見直し、情報を確認します。アクティブリコールはそれだけでも効果があるのですが、内容を見直すという**フィードバック**があることで、その効果がさらに上がります[5]。1回読んだだけで、覚えたいことの全部をアウトプットできることは少ないので、できれば満足する情報量をアウトプットできるようになるまで、アウトプットしては知識を確認（フィードバック）することを繰り返します。

実際に知っている以上に、知っていると勘違いしがちな自分の脳に騙されない、すなわち「流暢性の錯覚」に陥らないためには、このような作業の繰り返し（③）によって自分の脳を常に試すことが大切です。

さらに、あとで紹介する有効な学習方法である「分散学習」と組み合わせるために、④時間をおいてまた、できるだけ思い出して書き出していきます。この際の間隔については、インプットした情報の難しさ、自分がどれくらい覚えているかによって異なってきます。

個人的には、やや難しく新しいことを覚える場合は、その日のうちに1回、次の日に1回、さらに間隔をあけて繰り返すと効果的だと思いますが、この間隔についてはあとの章で説明したいと思います。

「なんとなく嫌だなぁ」に負けず、頑張る

白い紙に、汚い字で書きなぐりながら、誰もいないのに声を出して、教えているフリをしている僕のことを知らない人が見たら変な人だと思うかもしれません。

でも、いいのです。これが必死に脳の神経回路の結びつきを強くしようとしている人間の姿なのです。

自分が覚えているかを試すアクティブリコールは、脳に負

著者が白紙に書きなぐったもの（実物）

荷がかかると感じたり、自分がどれほど覚えていないかがわかって悲しくなったりしてしまうかもしれません。「今読んだばかりなのに、なんで自分はこんなに覚えていないんだ！」と思うことはよくあります。「なんとなく嫌だなぁ」という感じがあり、あまり気が乗らないかもしれません。さらに、研究の参加者がまさにそうであったように、やった直後は効果が感じにくいかもしれません。

でも、頑張って、思い出す作業、アウトプットする作業を怠らないようにしてみてください。アクティブリコールは効果的な学習に必要な「望ましい困難」をあなたに与えてくれます。

思い出そうとすることこそが、記憶の定着には大切なのです。ぜひ、今後の勉強ではアウトプットを常に意識するようにしてください。

本書を読んでいる方で、普段アクティブリコールをあまりしていない人がいるならば、その効果を実感するために、試しに今ここまで読み進めてきた本書の内容について、何も見ずに覚えている内容を白い紙に、ブツブツ呟き教えるフリをしながら、できるだけ書き出してみてください。数日後、繰り返し読んだ時以上に、内容を覚えていると実感できるのではないかと思います。

復習ノート

☑アクティブリコールとは何ですか？

☑アクティブリコール・想起練習の方法としてどのようなものがありますか？

☑プロダクション効果とは何ですか？

☑プロテジェ効果とは何ですか？

☑自分の普段の勉強・情報収集に、どうしたらアクティブリコールを導入できるか考えてみてください（例：新聞を読んだあとに思い出せるだけ白い紙に書き出してみる等）。

☑今まで読んだ本書の内容を思い出せるだけ白い紙に書き出してみてください。

分散学習

試験の前日に、慌(あわ)てて何時間も必死に詰め込んだのに、試験が終わって数日経(た)つと、自分でも驚くほど勉強した内容を忘れてしまっている。そんな経験は誰にでもあるのではないでしょうか。もちろん僕にもあります。そんな時、「自分はなんて頭が悪いんだ」「記憶力がない」と自分を責めてしまう気持ちが出てくるかもしれません。

安心してください。それが普通なのです。

そもそも人間の脳というのは、覚えたものをどんどん忘れていくようにできています。脳の海馬(かいば)と呼ばれる場所は、短期記憶のうちどれを長期記憶として保管するのか仕分けする働きをしています。そして、僕たちの脳へ入力される情報のほとんどが、生きていくためには直接必要のない情報であるため、忘れるようにできています。

脳科学的に見ても、何かを記憶することだけでなく、忘却することも能動的なプロセスであることがわかっています[35、36]。

非常に稀に、過去の自分の体験のほぼすべてを覚えているという驚異的な記憶を持っている人がいます。2006年の論文で報告されたアメリカのAJという女性は、過去の経験に関する記憶（エピソード記憶）を忘れることができず、過去のある日付に何をしていたか聞かれたら、素早く答えることができます[37]。しかし、「忘れることができない」ということはかなり辛いそうで、以下のように話しています。

「いつも過去のことを考えている。終わらない映画を常に見続けているようです」
「私はこれ（異常な記憶力）を持ちたいと思わない、重荷です」

このような発言を聞くと、忘れるということは良いことでもあるのだな、と感じます。

さて、前の章で説明したアクティブリコールは、いわばその記憶を実際に思い出す（使う）ことによって、「この情報は必要だよ！」と脳に伝え、しっかり覚えてもらう方法です。

次に、もう一つ、アクティブリコールと共に脳に覚えてもらうために重要なことについて書いておきます。それは、一度にまとめて勉強するよりも、時間をあけて「繰り返し学習する」ということです。繰り返しその情報を入力・取り出すことで、「これは必要な情報だよ！」と脳に伝えるイメージです。

「勉強には復習が大事。そんなことは耳にタコができるくらい聞いたよ」

そんな声が聞こえてきそうです。では、繰り返し勉強することがどれくらい大切なのか、効果はどれくらいあるのか、復習するタイミングはいつが良いのか、繰り返し勉強することについて科学的にどのようなことがわかっているかをご存知でしょうか？

もし曖昧な場合は、新しい知識もあると思いますので、もう少し本書を読み進めてみてください。繰り返し勉強する効果について、「なんとなく知っている状態」と、いろいろな情報を総合して「腑に落ちている状態」では、勉強の取り組み方が違ってくると思うのです。

分散学習とは

一夜漬けのように、あるまとまった学習範囲を、間隔をあけずに一度に続けて勉強することは「集中学習（Massed learning/practice）」と呼ばれています。一方で、時間をあけて勉強することは、「**分散学習**（Distributed learning/practice）」や「**間隔反復**（Spaced repetition）」と呼ばれています[38]。

そして、一度にまとめて勉強するよりも、時間を分散して勉強するほうが長期的な記憶の定着が良く、この効果は**分散効果**（Spacing effect）と呼ばれています。

これは同じ内容を、同じ時間をかけて勉強するにしても、分散したほうが学習効果が高いということを意味します。つまり、2時間続けてある範囲の英単語を勉強するよりも、今日は1時間、別の日に1時間と分散したほうが、時間が経ってテストした時に、覚えている単語の数は多いということです。

分散させて勉強するほうが、まとめて一度に勉強するよりも効果が高いことを実験的に示したことで有名なのが、ドイツの心理学者エビングハウスです。
エビングハウスは「忘却曲線」の提唱者として有名です。彼は、意味のない音節をたくさん作って、自らそれらを覚え、どれくらい忘れていくのか、そして、繰り返し復習したら、どれくらい覚えていられるのかについて調べました。
記憶の研究の分野に重要な貢献をした人物ですので、記憶に関連する書籍には頻繁に登場します。

『記憶について──実験心理学への貢献』という1885年に書かれた本の中で、エビングハウスは以下のように語っています[39]。

「多くの繰り返しを行う際には、それらを一度にまとめて行うよりも、時間を分散させて行うほうが、明らかに有利である」

分散学習の効果を検証した研究は、100年以上前から行われ、論文も数百以上あります。それらの研究によって、分散効果は、大人から子どもまで、数学、外国語、歴史、生物学などを含めた幅広い分野の勉強において確かめられてきました。

研究

例えば、1979年にバーリックが行った研究が有名です[40]。この研究では、スペイン語を勉強したことのないアメリカの大学生を3つのグループに分けて、50個のスペイン語の単語を覚えてもらいました。

- Aグループ：1日にまとめて学習
- Bグループ：1日間隔で復習
- Cグループ：30日間隔で復習

最初の学習セッションでスペイン語の単語の意味をできるだけ覚えてもらい、5回の復習を行った30日後に、どれくらい単語を覚えているかをテストしたところ30日後の試験の正答率はそれぞれ68％（Aグループ）、86％（Bグループ）、95％（C

異なる間隔で勉強した場合の正答率

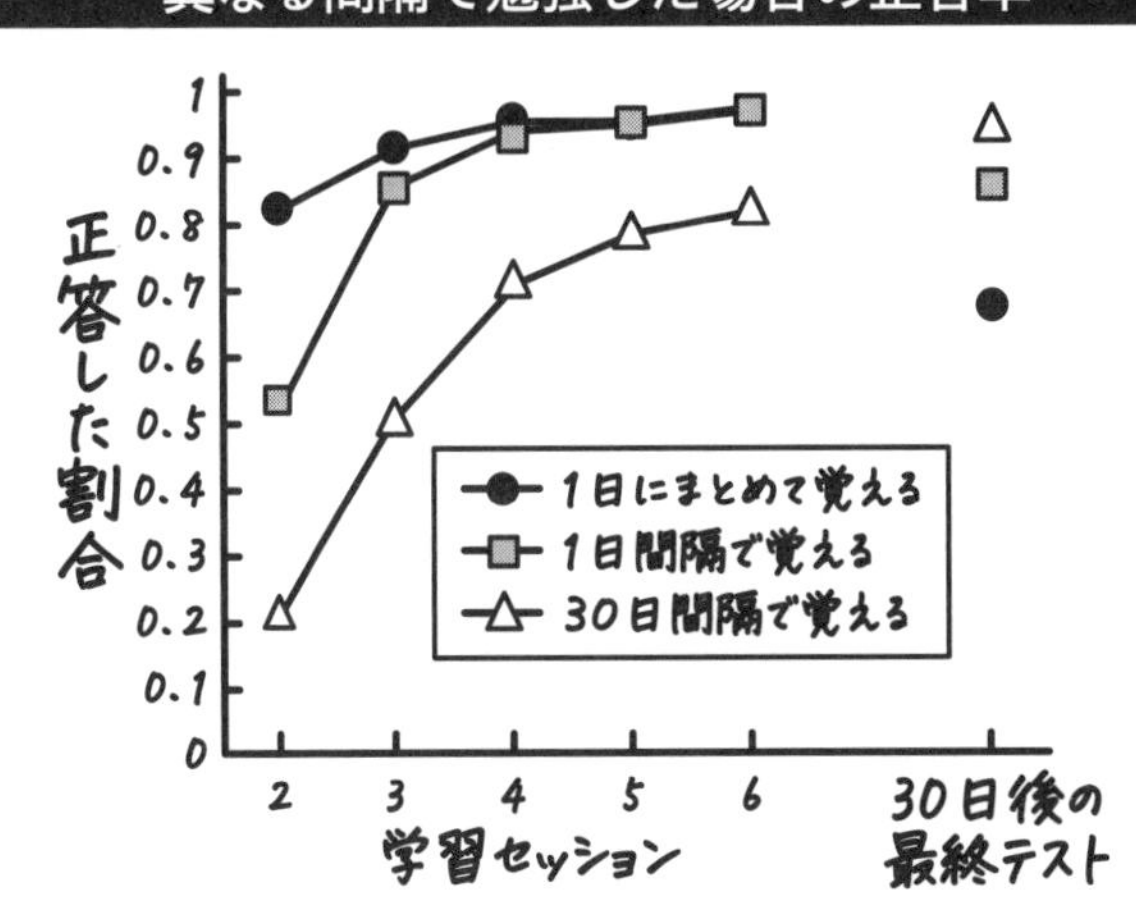

グループ）と、間隔をあけて勉強した生徒のほうが遥(はる)かに良いというものでした。

ほかにも、5年生の子どもを対象にしたある研究では、GREというアメリカやカナダの大学院へ進学するために必要な共通試験に出てくる英単語（Accolade, Coerce, Edict, Gregarious, Latent, Salient, Tacit, Vex）を覚えてもらいました[41]。同じ単語をまとめて勉強した場合と、1週間の間隔をあけて2回に分けて勉強した場合では、トータルの勉強時間に違いはなかったにもかかわらず、5週間後のテストでは、間隔をあけて勉強した場合のほうが約1・8倍、英単語の意味を正しく答えられたという結果があります。

このほかにも分散学習については多くの論文があり、数多くの研究結果を統合して分析したメタアナリシスも複数あります。2006年の分散学習の効果に関する184本の論文を分析した論文でも、分散学習の効果が示されています[42]。

さらに、バーリックの研究結果からも示唆されている通り、学習の間隔を長くあけたほうが、より長く記憶に定着することも示されています。この学習の間の時間（ラグ）が長いほど、学習内容が長期的に記憶に定着しやすいという効果は、ラグ効果（Lag effect）とも呼ばれています。

つまりこれは、半年後の試験に向けて勉強する場合と、1週間後の試験に向けて勉強する場合では、最適な復習のタイミングが異なることを意味します。

研究

復習のタイミングについて調べた有名な研究として、2008年のセペダらによって行われたものがあります[43]。この研究では1354人の参加者に、32個のあまり知られていないトリビア（例、「ヨーロッパの国で辛いメキシコ料理を最も食べている国はどこか？」答えは「ノルウェー」）を覚えてもらい、その後、復習のタイミングを変えてどれくらい覚えているかをテストしました。

復習は、学習したその日、翌日、2日後、7日後、21日後、105日後など、異なる間隔のいずれかで1回だけ行いました。その後、いろいろな間隔（7日後、35日後、70日後、350日後）で試験を行いました。復習の間隔と試験までの間隔の組み合わせは20通り以上に及びます。

この研究から、最適な復習のタイミングはテストまでの時間によって異なることがわかりました。例えば、試験が7日後の場合は3日後に復習するのが最適で、35日後の試験では8日後、70日後の試験では12日後、350日後の試験では27日後だと推定されました。ある内容を1回しか復習できない場合、復習のタイミングが早すぎても遅すぎても効果が低いこと、そして試験までの時間が長いほど、最適な復習のタイミングも遅くなることを示す結果でした。

つまり、もし試験が何カ月も先の場合、ある範囲を復習する間隔は長めに設定したほうが、長期に覚えている量がより多いと言えそうです。

右の研究は、1回だけ復習する場合を調べたものですが、実際の勉強では何度も復習することが一般的です。その場合、分散学習の領域では、均等な間隔（Fixed interval）でやるのが良いのか、最初は間隔を短くして徐々に長くしていく方法（Expanding interval）が良いのか、ということが議論されています。

1970年代には、間隔を徐々に延ばすほうが効果的だという報告があり、徐々に延ばしていく復習のスケジュールが良いと思われてきました。

1980年代に、分散学習を取り入れた学習ソフトウェア「SuperMemo（スーパーメモ）」を開発したピョートル・ウォズニアックが自分自身で行った実験の結果をもとに、1985年に考えた最適な復習のタイミングは、**初回1日後、2回目7日後、3回目16日後、4回目35日後**、というものでした[44]。

しかし最近になり、実は等間隔のほうが効果は高いという報告が複数出てきたため、この考えは揺るぎ始めています。一方で、やはり徐々に延ばしたほうが良いのではないかという報告もあります[45]。

結論から言うと、「等間隔か、徐々に延ばすのか」という問題は、僕の知る限り決着がついていません。そもそも、学習者の元々の知識量や勉強する内容の量や難しさ（忘れやすさ）などによって異なってくるのではないかと予想します。

いずれにせよ同じ内容を、間隔をあけて勉強することの効果は高いのですから、複雑な復習の計画を立てて実行できないという状況に陥らないためにも、難しく考えすぎることはないと思います。

僕自身は、新しい分野の、あまり土台となるような知識がない領域の勉強をする時には、最初は間隔を短めに取り、徐々に延ばしていく復習をすれば良いのではないかと、今のところは考えています。

分散学習について、ダンロスキーらの報告書ではどのように結論づけられているのか読んでみましょう。

「今ある科学的根拠に基づき、分散学習の有用性は高いと評価する」[5]

分散学習は、さまざまな年齢の学習者、多様な教材、さまざまな試験形式において効果が確認されており、長期間にわたって情報を記憶するのにも役立つと書かれています。このように、分散して学習することの重要性は多くの科学的知見によって確立されています。

『論語』にある「學而第一」の最初の孔子の言葉は、「学びて時にこれを習ふ、亦た説ばしからずや」というものです。学んで適当な時期におさらいする、いかにも心嬉しいことだねという意味ですが、分散学習の重要性を強調しているように思います。

ところで、有効性が科学的にも確認されてきた分散学習ですが、これを実践している学生は少ないことが報告されています。

アメリカの生物学を履修する900人以上の大学生を対象とした調査では、間隔をあけて勉強している学生は17%程度で、ほとんどの学生が試験直前にまとめて勉強していました[46]。そして、成績が良い学生ほど、分散学習に加え、前の章で説明したアクティブリコールを使っているという結果でした。

さて、分散学習は、あくまでも勉強の「スケジュール」についての話です。では、どのような「学習方法」を繰り返せば良いのかというと、それこそが前の章で説明したアクティブリコールです。

最強の学習法：アクティブリコール+分散学習=連続的再学習

アクティブリコールと間隔反復、この2つを組み合わせた勉強法が、現代の学習の科学的根拠に基づく、誰でも実践可能で効果の高い方法だと考えます。

QUESTION

プロダクション効果とは何ですか？

なお、この2つを組み合わせた学習方法は、時に**連続的再学習**（Successive relearning）や**分散された想起練習**（Spaced/Distributed retrieval practice）などと呼ばれます[47、48]。

みなさんも勉強をする時は、ぜひ、連続的再学習を意識してみてください。

連続的再学習の手順

連続的再学習では、まず新しい範囲を勉強する時には、少なくとも1〜3回、内容を思い出せるようになるまでアクティブリコール（紙に書き出す、思い出すなど）をします。

その後、決まった間隔は特にありませんが、1日〜1週間後に、またアクティブリコールをしてみます。この際、忘れている内容についてはもう一度知識を確認（フィードバック）し、少なくとも1回アクティブリコールします。これらを何回か間隔をあけてまた繰り返します。

イメージしやすいように、具体的な例を出してみます。

もし僕が連続的再学習で、難しい英単語20個を覚える場合、英単語を見て、発音しながらスペルを書き出し、日本語の意味も声に出してみます（プロダクション効果）。その後、今度は何も見ずに英単語のスペルと意味を思い出せるだけ、ブツブツ言いながら白い紙に書いていきます（アクティブリコールとプロダクション効果）。

その際、特に覚えにくいものは、教えているフリをしながら行います（プロテジェ効果）。

その時点で覚えていなければまた単語のリストを見て、英単語のスペルや意味を確認します（フィードバック）。

再度アクティブリコールをして、覚えていない単語をまた確認（フィードバック）という過程を、すべての英単語について少なくとも1回はアクティブリコールできるようになるまで繰り返します。これで1回目の勉強は終了です。

そして、難しい単語の場合は、1日以内にまたアクティブリコールし、忘れている単語があればまたフィードバックします。

この流れを、分散学習で繰り返します。

連続的再学習の学習効果を調べた研究は、おもに大学生を対象に行われてきました。

研究

例えば、心理学を履修する大学生に、ある範囲は連続的再学習を用いて、他の範囲は通常通りに勉強してから試験をしたところ、連続的再学習をした範囲は84%の正答率で、通常の勉強をした範囲は72%の正答率と有意な差がありました[49]。また、試験の3日後、24日後に内容を覚えているかテストしたところ、通常通りに勉強した範囲の正答率は大きく下がったのに対し、連続的再学習をした範囲は、より長く記憶に定着しているという結果でした。

アクティブリコールを、間隔をあけて、ただ繰り返す。

このきわめてシンプルな勉強法をあまり意識してこなかったという人がいるならば、今

連続的再学習と通常の勉強の効果比較

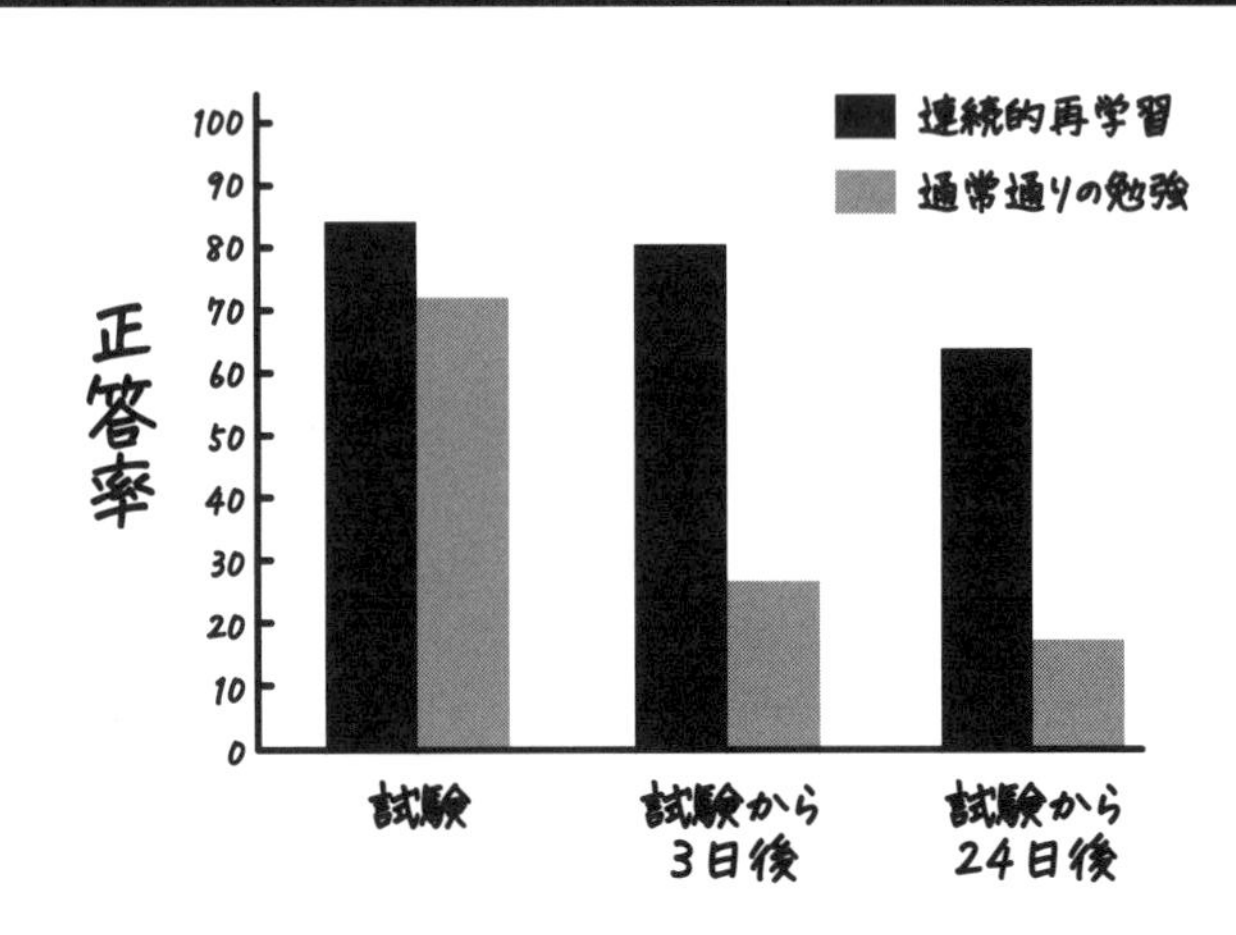

日からこれを実践するだけで勉強の効率が大きく改善されるはずです。

分散学習は、とにかく膨大な量を覚えなければいけない分野の勉強においては重要です。僕も、医師国家試験の準備には、間隔をあけて復習することを意識しました。

例えば、米国の医師国家試験の1つ、USMLE Step 1は、生化学、薬理学、生理学、解剖学、行動医学、微生物学、病理学の範囲から出題されます。これら一つひとつの分野だけでも、勉強しなければならないことが膨大にあります。僕は、系統的な知識を身に付けるため、一度全範囲の教科書を読み、読むと同時に前章で説明したようなアクティブリコール（おもに、ブツブツ言いながら紙に書き出す）を行っていきました。

そして、特定分野の練習問題を解くことで、またアクティブリコールを行います。1つの科目が終わると、次の科目を勉強し、7つの分野を1周したら、また最初の科目に戻り、オンラインの練習問題で「アクティブリコール＋フィードバック」をするということを、何周か繰り返しました。つまり、生化学なら生化学の同じ範囲を、間隔をあけてアクティブリコールしていく、という連続的再学習を行っていたことになります。

僕が日本の医師国家試験の準備をしながら、限られた勉強時間でアメリカの医師国家試験に高得点で合格できたのは、アクティブリコールと間隔反復を組み合わせて勉強したからだと思います。

今、何かの大きな試験に向けて勉強している人がこれを読んでいるならば、試験までに何度も間隔反復ができるように、勉強のスケジュールを組んでみるといいでしょう。その際にはもちろん、教科書を「繰り返し読む」というものではなく、過去問や模試を解く、白紙に書き出す、フラッシュカードを使う、誰かに教えるなどのアクティブリコールを中心とした復習を意識してみることが重要だと思います。

アクティブリコールと分散学習は、入学試験や資格試験だけでなく、日常の学びにも役立ちます。

例えば、ある本を読んで、1週間後にほとんど内容を覚えていないという方は多いのではないでしょうか。興味のある分野でない限り、一度本を読んだだけでは、記憶の定着が良くないのは当然のことです。たとえ同じ日に2回繰り返し読んだとしても、おそらく記憶の定着は良くないでしょう。

本を読んで内容を覚えておきたい場合は、やはりアクティブリコールと間隔反復を取り入れる必要があると思います。具体的には、ある程度の情報のまとまりや章を読んだら、何が書いてあったのか思い出す、できれば書き出すという作業を行います。

本に書いてある内容をフラッシュカードにしていく、というのも1つの方法で、僕もやることがあります。そして、翌日や1週間後に、その内容を再度思い出してみます。覚えていない情報があれば、再び本を参照します。

この繰り返しにより、読書による知識習得も大きく改善するはずです。

本書では、アクティブリコール、分散学習がしやすいように、セクションの終わりに入れた「復習ノート」や、ページの下のフセンに質問を入れてあります。ノンフィクションの書籍には、このような知識の定着を促すような仕掛けをもっと積極的に取り入れても良いのではないかと思います。

復習ノート

☑分散学習とは何ですか？

☑分散効果とは何ですか？

☑アクティブリコール（想起練習）の方法には、どのようなものがありますか？

☑分散学習を取り入れた学習ソフトウェア「SuperMemo（スーパーメモ）」を開発したピョートル・ウォズニアックが提唱した間隔反復のスケジュールはどのようなものですか？

☑自分の普段の勉強・情報収集に、どうしたらアクティブリコールと分散学習を導入できるか考えてみてください。

今日から実践したい！ こんな勉強法

科学的に効果が高い勉強法3

精緻的質問と自己説明

ここまで、学習の王道とも言えるアクティブリコールと分散学習、そしてそれを組み合わせた連続的再学習について説明してきました。もうこれだけ覚えてもらえれば十分、というくらい強力な勉強法ですが、ほかの勉強法についても紹介していきたいと思います。

このセクションで説明したい科学的に検証された効果的な勉強法は、**精緻的質問**(Elaborative interrogation)と**自己説明**(Self-explanation)です。この2つは、重なる部分があるので、同じ章でできるだけわかりやすく説明していきたいと思います。

2つの方法を僕なりに簡単にまとめるならば、「頭の中で自分と自分が質問や会話をしながら、学習していく方法」となります。

精緻的質問とは

精緻的質問というと、なんだか難しそうですね。「精緻（せいち）」のそのままの意味は、「細かい点まで注意が行き届いていて、よくできている様子」です。英語のほうが少しわかりやすく「Elaborative interrogation」と呼ばれます。何かを話している時に、「Please elaborate（もう少し詳しく説明してください）」とコメントすることがありますが、Elaborative interrogationとは、ある知識について踏み込んで質問してみることです。

具体的には、勉強した内容に対して、「なぜそうなっているのか（Why）？」、「どのようにそうなっているのか（How）？」などと、自分自身に質問していく勉強法です。

研究

精緻的質問の学習効果については、幅広い年齢層の学習者を対象に検証されてきました[50、51]。例えば、生物学を履修した大学生294人を対象とした研究では、人間の消化についての文章を読んでもらいました。このとき、半分の学生には「なぜそうなっているのか」という質問に答えながら読んでもらい、残りの半分にはただ再読してもらいました[52]。

例として、学生たちに「ヒトの唾液には、アミラーゼという炭水化物を分解する酵素や、口腔内のpHを調整する重炭酸塩、ムチンや水が含まれている」というような文章を読んでもらいました。精緻的質問を行うグループには、「唾液が食物と混ざり合うことで消化が始まります。なぜそうなのでしょうか？」といった質問に答えながら読み進めてもらいます。内容についての試験を行ったところ、精緻的質問を用いた学生の平均点は76点で、再読だけ行った学生の平均点69点よりも高いという結果でした。

勉強の知識だけでなく、日常の生活でも、いろいろなことに対して「なぜ？」「どうして？」と問いかけるクセをつけておくと、知識が広がっていくように思います。

例えば、ミシュランのマスコットキャラクターであるミシュランマンは、白いタイヤが重なり、バニラのソフトクリームのような形態をしています。

タイヤというのは黒いはずなのに「なぜミシュランマンは白いのか？」という「なぜ？」と問いかけて調べてみると、ミシュランマンが登場した1890年代のタイヤに使われるゴムは白っぽい色をしていたことや、1912年頃に黒いカーボンブラックがタイヤに混ぜられたことで、タイヤの耐久性や耐熱性が向上したということがわかります。

「ミシュランというタイヤ会社が、なぜレストランガイドを作っているのか？」と質問して調べてみると、1900年初頭にはまだ車は新しいもので、長距離の運転をする人が少なく、ミシュランはもっと人に車を運転してもらい、タイヤの販売数を増やそうと、レストランガイドを始めたと知ることができます。だから1つ星～3つ星の評価で、2つ星は「遠回りしてでも訪れる価値のある素晴らしい料理」、3つ星が「そのために旅行する価値のある卓越した料理」という表現になっていることにも納得がいきます。

※ミシュラン公式サイトより　8 Surprising Facts About the Michelin Man
https://guide.michelin.com/us/en/article/features/8-surprising-facts-about-the-michelin-man

日常の些細なことでも子どものように「なぜ？」と質問しながら過ごす

僕には2人の子どもがいて、よく「なんで？」「どうして？」という質問を受けます。時には自分でも思いつかなかったような角度から質問が飛んでくることがあり、子どもの観察力、感性、好奇心というのはすごいものだなと感心することがよくあります。まだ世界のいろいろなことについて体系的な知識が構築されていない子どもにとって、「なぜ？」「どうして？」を繰り返す精緻的質問というのは、効率的に知識を吸収するための大切な学習法なのだと感じさせられます。

質問を受けるだけでなく、僕は「なんでそうなっているのだと思う？」と、子どもに問いかけてみることもよくします。

例えば最近、落ち葉を見たことがきっかけとなり、なぜ季節というものが存在するのかという話から、それは地球が傾いているからだという話になりました。すると、なぜ傾いているのかという話につながり、それはジャイアント・インパクト説というものがあって、45億年くらい前にテイアと呼ばれる天体が衝突して傾いたからだと言われていることを話しました。すると今度は、「そのテイアという天体はどうなったのか?」と聞かれたので、月や地球の一部になり、今でも地球の内部に塊として存在している可能性があることなどを話しました[53]。

子どもに聞かれて知らないことがあれば、一緒に調べたり、自分で調べて子どもにもわかるように説明を試みたりしています。いろいろな質問を受け、それにできるだけわかりやすく答えるだけで、自分も新しいことを学んだり、学び直したりする良い機会になるのだと感じます。

「空はなぜ青いのか?」「太陽は酸素がないのに、なぜ燃えているように見えるのか?」「なぜ英語の別れの言葉はgoodbyeなのか?」など、日常の些細なことでも子どものように「なぜ?」と質問しながら過ごすと、知識にも深みが生まれ、日常が楽しく過ごせるようになる気がします。

この本で度々引用してきたダンロスキーらの報告書では、精緻的質問については以下のように結論づけられています。

「私たちは精緻的質問を中等度の有用性があると評価する」

アクティブリコールや分散学習ほど高い有用性があると評価されなかった理由として、学ぼうとしている分野の知識がほとんどない学習者では、基礎知識がある場合に比べて効果が低い可能性があること、長期的な効果についてあまり検証されていないことなどが挙げられています[5]。

自己説明とは

精緻的質問と同様に、効果が高いとされている勉強法として、「自己説明（Self-explanation）」があります。

自己説明とは、何かを学習している時に、学習者が自分自身に向けて、学習内容や学習過程の理解について説明することを指します。ほかにも、数学や物理などの問題を解いている時に、その問題の意図や問題解決の過程を自身に説明することも、自己説明に含まれます。精緻的質問よりも、「自己説明」の範囲はやや広いので、少しわかりにくい概念かもしれません。

自己説明を促す質問としては、以下のようなものがあります。

QUESTION

精緻的質問とは何かを、小学生でもわかるように説明してみてください

- 「この情報を自分の言葉で説明してみてください」
- 「このページで、すでに知っていることは何ですか？　新しい知識は何ですか？」
- 「この新しい情報は、あなたがすでに知っていることと、どのように関連していますか？」
- 「この中で理解できなかった点はどこですか？」

学んだことを自分の言葉で自分に説明してみる、すでに知っていることと関連づける、自分の理解がどれくらいかを客観視してみる、こうしたことが自己説明です。

「自分はここがまだはっきりわかっていないな」「ここは大分理解できたと思う」など、自分の学習を客観的に評価することも自己説明になります。なので「自分の認知についての認知」である**メタ認知**が必要なプロセスであるとも言えます。自分の思考や学習を客観的に見つめるメタ認知は学習において非常に重要です。

自己説明の例を挙げてみましょう。

食べた炭水化物がどのように代謝されるのかを勉強しているとします。パンや米、麺などの炭水化物は、消化の過程でグルコースに分解されます。このグルコースはさらに分解されていき、最終的には酸素が使われ、体の中のエネルギーの通貨であるATP（アデノシン三リン酸）が作られます。

このような情報について学んでいる時に、例えば「なるほど、この時に酸素が使われるということは、息をするということと、食べるということは体のエネルギーを作り出すという点でそれぞれつながっているんだ」とか、「植物や植物プランクトンは太陽のエネルギーを利用して、二酸化炭素と水を酸素と炭水化物に変換するということを勉強したことがある。つまり、僕たちが炭水化物を取り込むことで作られるエネルギーというのは、もともとは太陽光のエネルギーと関連しているのか。動物は植物と太陽に生かされている存在なのだ」など、昔学んだ知識と次々に関連させていくことも、自己説明の一種です。

また、糖の代謝には大きく分けて「解糖系」「クエン酸回路」「電子伝達系」というプロセスがありますが、「クエン酸回路については大分わかってきたけど、電子伝達系については知識がまだ曖昧（あいまい）なところがあるな」などと、自分の理解の度合いについて言葉にすることも自己説明です。

「自己説明」は、文章を深く理解することだけでなく、数学、物理、パズル問題など、さまざまな分野で効果が示されています[50、54、55]。

ダンロスキーらの報告書では、**自己説明は、精緻的質問と同様に「中等度の有用性」がある**と結論づけています[5]。

自己説明は、多くの場合有効であるとしつつも、自己説明をやるのがうまい人と下手な人がいて、一部の人では訓練が必要である可能性があることや、通常の勉強と比べてより多くの時間がかかること（研究によっては1・3〜2倍の時間）などが注意点として書かれています。

情報収集をしている時に積極的に「なぜ?」「どうして?」を自分に質問するようにする。新しい情報を自分の言葉で、以前から知っていることと関連づけて説明してみる。何が知っていることで、何が自分にとって難しいのかを言語化してみる。こうした精緻化と自己説明を意識的に取り入れてみると、より勉強の効果が高まります。

精緻的質問と自己説明は、程度の差こそあれ誰もが勉強している時に行っている処理だと思います。

僕も、頻繁にこのような処理を頭の中で行っています。ある新しい情報を、自分がすでに知っている情報と関連させて理解することで、知識というのは体系的に積み上げられていくのだと感じます。

自己説明は学習スケジュールを考える時にも役に立つ

ところで、自分の理解を客観的に評価するという、自己説明における1つの要素は、実際の勉強内容だけでなく、学習のスケジュールを考える時にも役に立ちます。

例えば、僕が試験を受ける前によくやるのは、自分の理解を数値化してみることです。勉強する範囲が、消化器内科、神経内科、循環器内科、血液内科などと分かれている場合、「試験対策として、今のところ消化器内科は70%くらい覚えているからあと1、2日である程度のレベルには持っていけるはず。血液内科の知識量は低く、今のところ40%くらいだから、あと4、5日はかかるだろう」などと計算しながら試験対策をします。

こうした自分の試験内容の知識量・理解度に関するメタ認知を、学習スケジュールに反映させていくことで、なるべく試験までに弱点をなくすようにします。そして学習の範囲とそれに対応する自分の理解度を把握することで、なるべく余裕を持って学習スケジュールを組むようにします。

また、練習問題を解く時も、単に「合っていた、間違っていた」ということだけでなく、「この問題はどれくらい自分にとって難しかったのか、どれくらい復習する必要があるのか」を考えながらやっている人が多いと思います。

僕も、紙の問題集であれば、あまり迷わずに解けた場合はチェックマーク（✓）、合っていたけど迷いがあった問題は三角（△）、答えが合っていたけどあまり自信がなかった、もしくは間違えていた場合は丸印（◯）などのマークを問題の横に描いていきます。復習の時に時間がない場合は、チェックマークの問題は飛ばし、△と◯の問題だけ重点的にやることもあります。

復習ノート

- ☑精緻的質問とはどのような学習法ですか？

- ☑自己説明はどのような学習法ですか？

- ☑自己説明を促す質問にはどのようなものがありますか？

- ☑アクティブリコールとは何ですか？　どのようなやり方があるか教えてください。

- ☑分散学習とは何ですか？

- ☑プロダクション効果とは何ですか？

- ☑時々本書を置いて、何が書いてあったのか思い出せるだけ白紙に書き出してみてください。

今日から実践したい！　こんな勉強法

科学的に効果が高い勉強法4

インターリービング

インターリービングとは

科学的に検証されてきた効果的な学習方法として「**インターリービング**(Interleaving)」を紹介したいと思います。Interleaveは日本語に訳すと「交互に重ねる」、「(特定のページなどをページなどの)間にとじ込む」といった意味があります。

インターリービングを簡単に説明すると、似ているけれども異なった複数のスキルや勉強のトピックを交互に学習する学習法のことを指します。

運動のスキルに関連するインターリービング

このインターリービングは、知識を得る勉強だけでなく、運動のスキルにも応用できるので、今何かのスポーツに打ち込んでいるという人にも参考になる学習法です。運動のスキルも、脳が体の動きを覚える、という一種の記憶であり、ここでは運動のスキルに関連するインターリービングの効果についても紹介したいと思います。

研究

まずは、有名な1978年のオタワ大学のお手玉の研究について紹介しましょう[56]。

この研究は、12週間の運動プログラムに参加している平均8・3歳の子ども36人を対象に行われました。顔の前にスクリーンを設置して視界を遮り、膝をついた状態で、的を狙って直径約2・5センチの小さなお手玉を投げる練習をしてもらいました。前が見えない状態で投げてもらい、投げ終わったらどれだけ的に近かったかを確認してもらいます。的を見ずにどれだけ正確にお手玉を投げられるかを試す、少し特殊なお手玉の練習です。

子どもたちには、1ブロックにつき4回投げてもらい、計6ブロック繰り返してもらいました。最初の4ブロックは練習ブロックで、最後の2ブロックはテストブロックとして行いました。

この研究では、子どもたちを次の2つのグループに分けました。

- Aグループ：約90センチ先の的だけを狙って練習してもらう
- Bグループ：約60センチ離れた的を2ブロック、約120センチ離れた的を2ブロック練習してもらう

テストブロックでは2つのグループとも約90センチ離れた的を狙ってもらいました。つまり、Bグループでは、練習ブロックで、約90センチ離れた的に向けた練習はしていないということになります。

練習をする前は、的に向かって投げるうまさは2グループとも同等でしたが、10週間後にテストしたところ、興味深いことに、約90センチ離れた的に投げるのがうまかったのは、約60センチと約120センチの的に向かって投げるのを練習したBグループの子どもたちでした。

同じような検証を、より年齢が高い子どもたち（平均12・5歳）にも行ったところ、やはり2つの距離の的で練習した子どもたちのほうがお手玉を投げるのがうまくなった、という同様の結果になりました。

また、この研究と同時期（1979年）にコロラド大学の研究者たちによって、

「運動スキルの習得、保持、転移における文脈干渉効果（Contextual interference effect）」という、今日では多く引用されている論文が発表されました[57]。なんだか難しそうなタイトルですね。文脈干渉効果とは、異なるスキルやタスクを混ぜ合わせてランダムに練習（ランダム練習）するほうが、それらを個別に連続して練習（ブロック練習）するよりも、最終的な学習の成果が高まる現象のことを指します。

研究

この研究では、次の図のような2つの穴と、1つの警告ランプ、3つの色付きランプ、6つの板がある装置を作り、スタートボタンを押して、警告ランプのあとに色付きランプが光ったら、穴に入っているテニスボールを右手で取り上げ、6つの板を指定の順番通りに倒してから、テニスボールを後ろにある別の穴に入れるという一連の作業が、どれだけ速くできるようになるかということを調べました。この際、光るランプの色（青、赤、白）によって、板を倒す順番は異なります。例えば、青いランプが光ったら、右奥、左中央、右前の順番に板を倒し、赤いランプが光ったら、右前、左中央、右奥の順番に板を倒すといった具合です。

対象となったのは大学生72人。1セット18回の練習を3セット（54回）してもらい、その10分後または10日後に、どれだけ速く一連の作業ができるかテストしました。

この研究では大学生を大きく2つのグループに分けました。

- Aグループ（ブロック練習）：同じランプの色を18回練習したあとに、別のランプの色で18回と、まとめて練習を行っていく
- Bグループ（ランダム練習）：光るランプの色が毎回違う

特定のランプの色に対し練習する回数は両グループとも同じに調整しました。

練習している段階では、Aグループの学生たちのほうが速く動作を完了させられることができま

実験で使われた装置

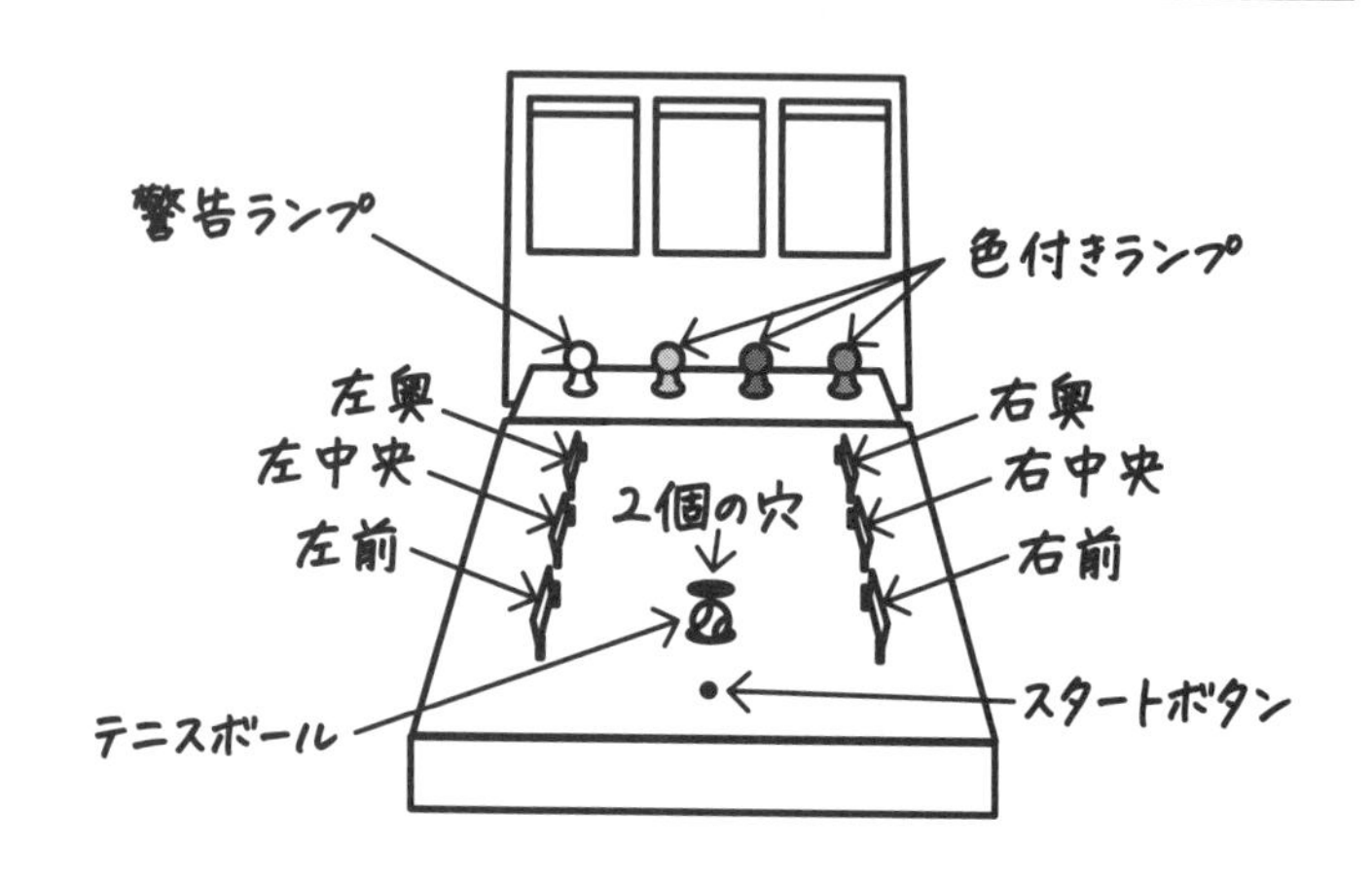

したが、ランダムにランプが光るテストを10分後または10日後に実施したところ、ランダム練習をしたBグループのほうが圧倒的に速く一連の動きを終わらすことができる、という結果でした。

インターリービングの運動スキルへの効果は前述の2つの研究以外だけでなく、その他複数の研究で実証されています。

研究

例えば、1986年の論文では、ラケットスポーツの経験のない女性30人を対象に、バドミントンの3種類のサーブ（ショートサーブ、ロングサーブ、ドライブサーブ）を以下のグループに分けて週3日、3週間にわたって練習してもらいました[58]。練習は、12回サーブするのを1セッションとし、1日3セッション（1日36回のサーブ、3週間で324回）行いました。

- Aグループ（ブロック練習）：1日1種類のみのサーブを練習
- Bグループ（順番に練習）：1日に3種類のサーブを順番に練習（例：ショート→ロング

↓ドライブを繰り返す)

■Cグループ(ランダム練習):続けて同じサーブを打ってはいけないというルールを決め、すべてのセッションでランダムに、3つのサーブを練習

実技テストは、最後の練習日の翌日に行われ、3種類のサーブの軌道とシャトルの着地点が点数化されました。そして、練習ではコートの右側からサーブしていたので、応用として、コートの左側からもサーブを打ってもらい、サーブのうまさを評価しました。

結果は、3種類のサーブを交ぜて練習したCグループが一番スコアが高く、まとめて練習をしていたAグループは一番スコアが低い、というものでした。

運動スキルの向上には、1つのタスクをただ繰り返すのではなく、似たような複数のタスクを混ぜ合わせたインターリービングを行うことが有効であることは、他のスポーツでも示されています[59]。例えば、ゴルフのストロークやバスケットボールのパス[60]、バレーボールのスキル(セット、パス、サーブ)[61]、野球のバッティング[62]などです。そしてスポーツだけでなく、音楽の分野でも、例えば、クラリネット[63]やピアノ[64]でも有効だという論文があります。

長くなってしまいましたが、運動のスキルも「脳が覚える」という学習の一つだと言え、そしてインターリービングの効果は興味深く何かスポーツをしている人にとっても参考になるかもしれないので、少し詳しく説明してきました。

一般的な勉強法におけるインターリービング

さて、特定の知識を覚える一般的な勉強法においても、インターリービングは効果があることが示されています。

研究

特にその効果が確認されているのが算数・数学の領域です。例えば、2007年に南フロリダ大学のダグ・ローラーとケリー・テイラーが行った研究があります[65]。大学生に、次の図のような4種類の立体の体積の求め方についての説明を読んでもらい、実際の問題を解いてもらいました。この際に、ブロック学習をするグループとランダム学習をするグループに分けました。

QUESTION

インターリービングとは何ですか？

ブロック学習を行うグループは、1つの立体の体積の求め方の説明を読んでから、その立体の体積を求める問題を4問解いてもらい（例えば、楕円体の体積の求め方を勉強してから楕円体に関する問題を4問解く）、それを4種類の立体について繰り返し、計16問解いてもらいました。ランダム学習をするグループには、4つの立体の体積の求め方をまず勉強してから、4種類の立体が混ぜこぜになった16問の問題を解いてもらいました。この練習セッションを1週間あけて2回繰り返し、またその1週間後に試験を行いました。

結果は次のページのグラフのようになりました。

練習問題を解く段階では、ブロック学習をした生徒のほうが正答率が89％と、ランダム学習を

立体の種類と体積の求め方

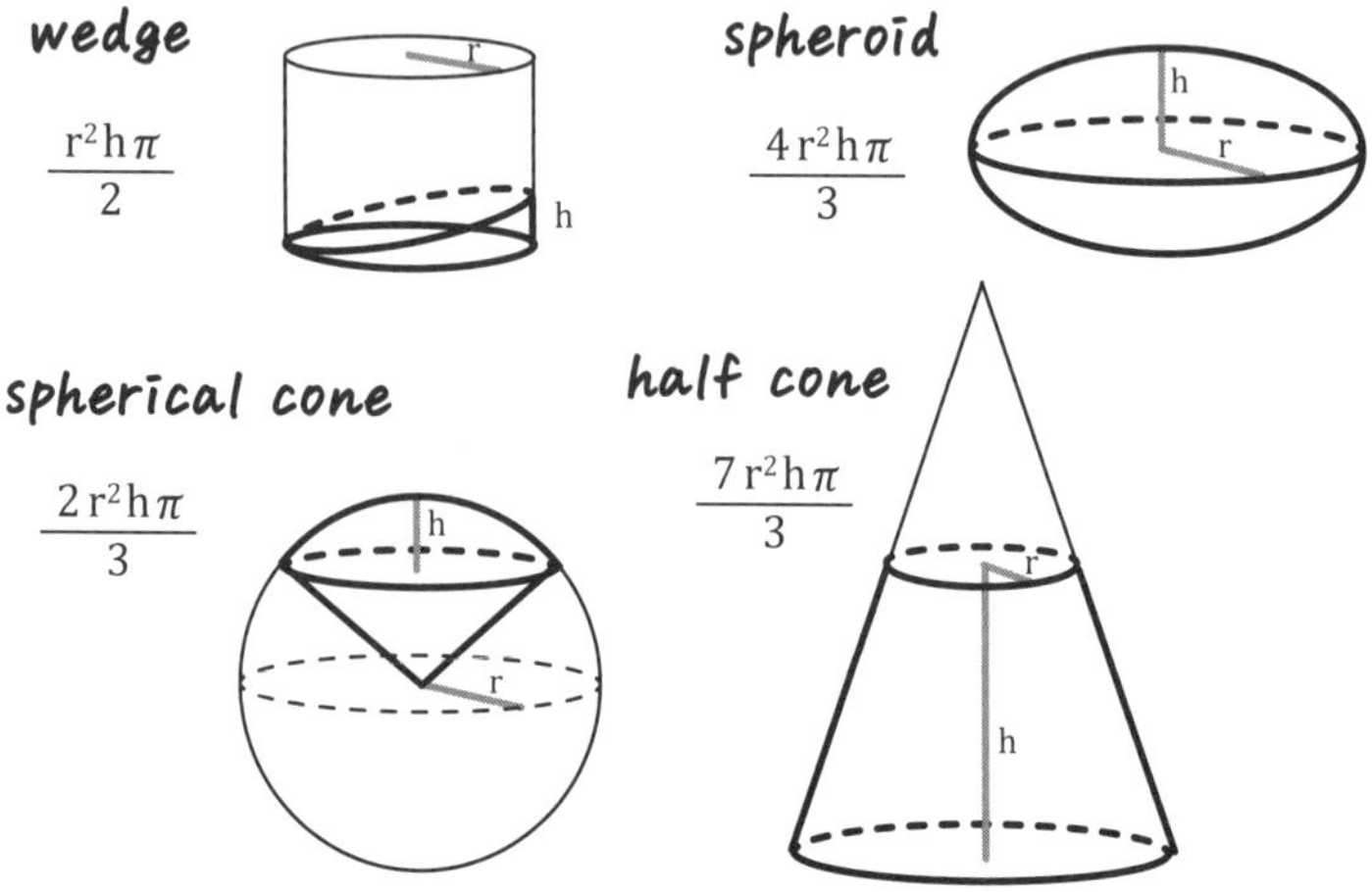

wedge

$$\frac{r^2 h\pi}{2}$$

spheroid

$$\frac{4r^2 h\pi}{3}$$

spherical cone

$$\frac{2r^2 h\pi}{3}$$

half cone

$$\frac{7r^2 h\pi}{3}$$

行った生徒の60％よりも高いという結果でしたが、実際のテストでは、ランダム学習をした生徒の正答率は63％と、ブロック学習をした生徒の20％を大きく超えました。

この研究を行ったローラーとテイラーは小学4年生の生徒にも、同様の研究を行いました[66]。次のページの図のような角柱の底面の辺の数が与えられた時に、どのように角柱の面、辺、頂点、角の数を求めるかを勉強してもらった後、問題を解いてもらいました。

この研究でも、ブロック学習をするグループと、問題を混ぜてインターリービングして学習するグループに分けて、その学習効果の違いを調べました。

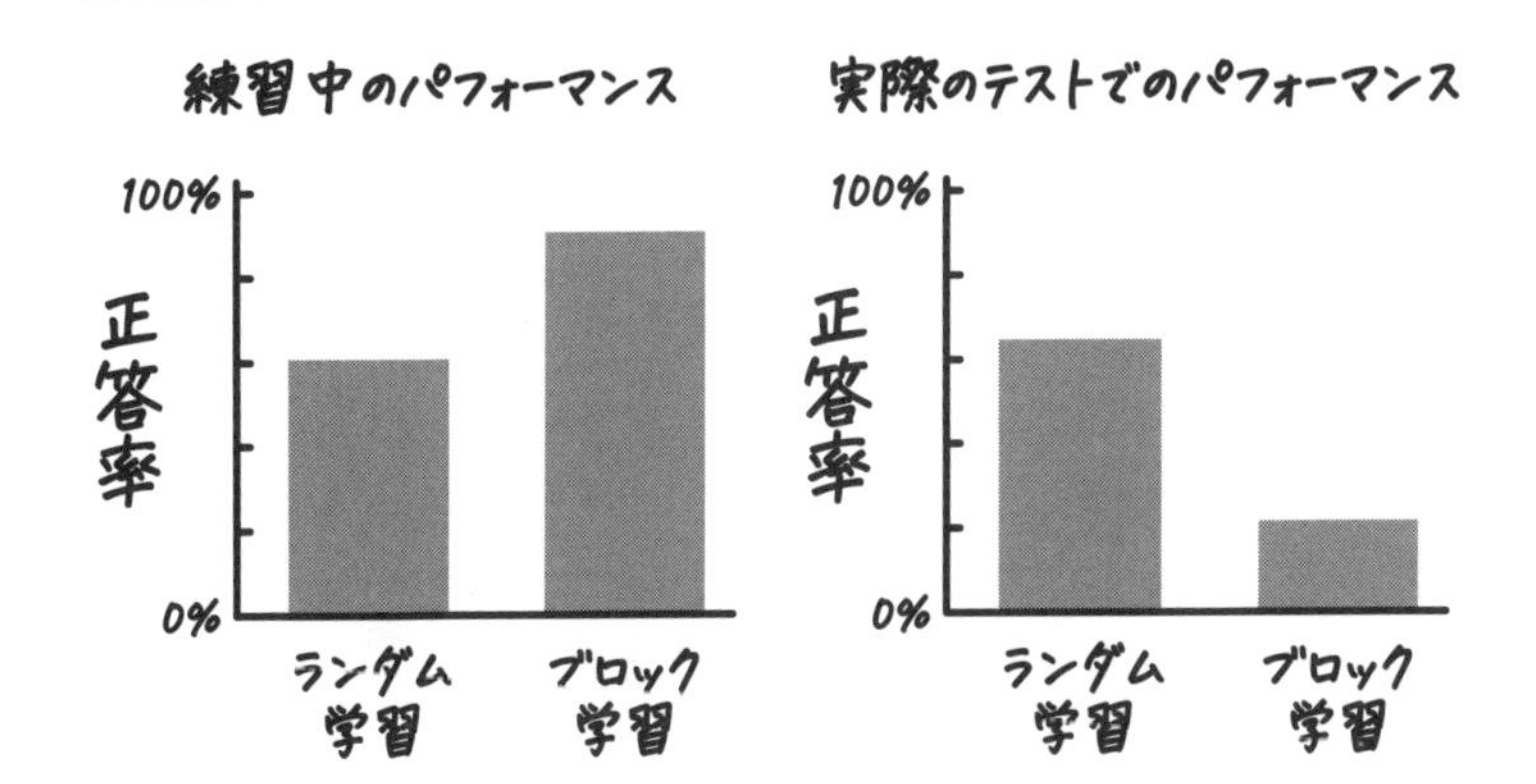

練習問題を解いている段階では、ブロック学習をしている生徒のほうが正答率は99％と高く、インターリービングを行って学習している生徒は68％と低いものの、1日後のテストでは、インターリービングを行った生徒の正答率は77％とブロック学習をしている生徒らの正答率38％を大きく上回っていました。

さらに、この2人の研究者は、実際の学校の算数の授業でも、インターリービングが効果を示すことを確認するために、公立に通う中学生700人以上を対象に、ランダム化比較試験を行いました[67]。ランダム化比較試験とは、研究の参加者を無作為に異なるグループに割り当て、特定の介入（この場合はインターリービング）の効果を検討する方法です。

角柱の面、辺、頂点、角の数の求め方

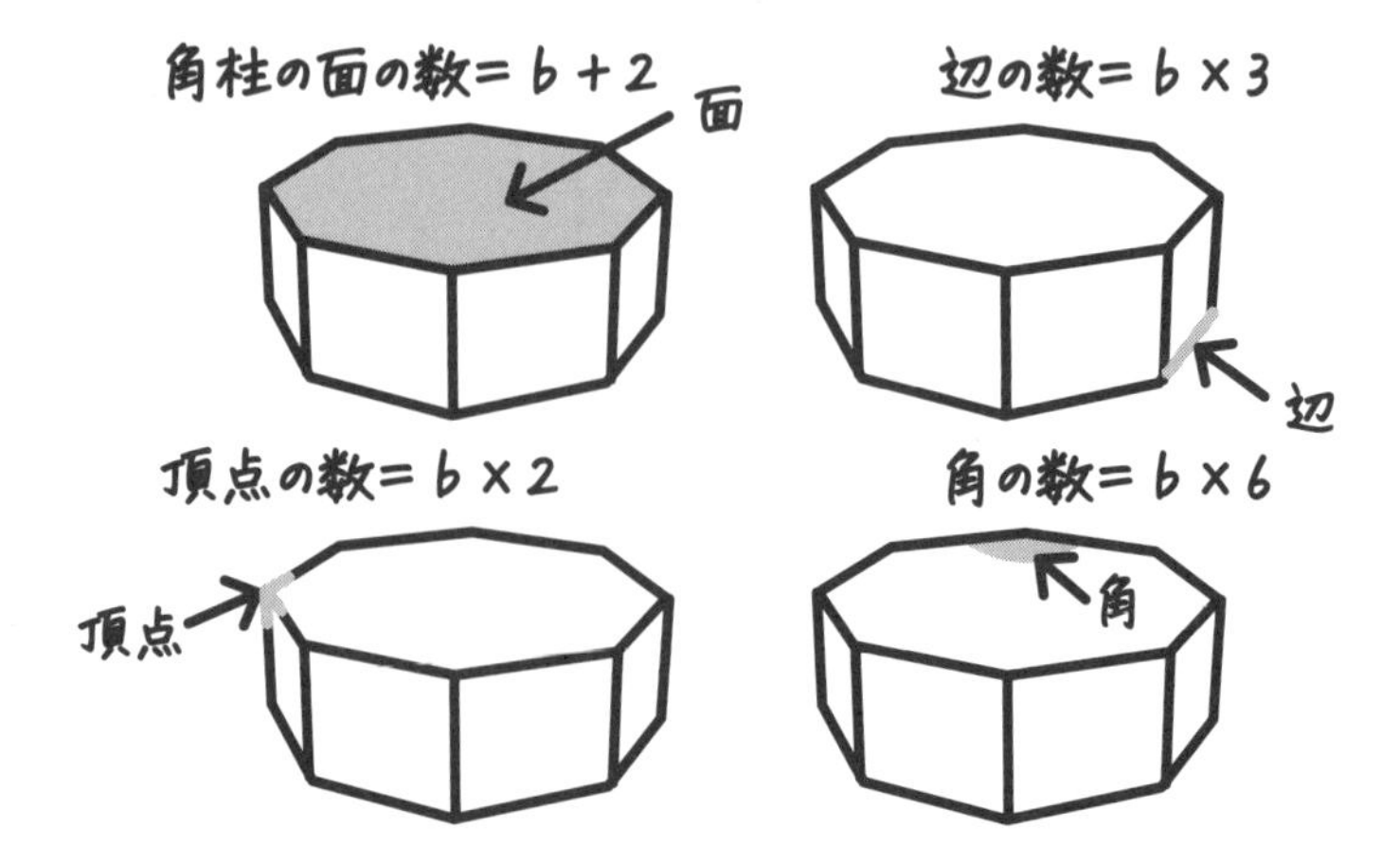

この研究では、参加した計54クラスをランダムに2つのグループに分けました。1つはインターリービングを行うグループ、もう1つはブロック学習を行うグループです。約4カ月の間に、9つのワークシートを授業中にやってもらい、その約1カ月後に、予告なしに抜き打ちテストを行いました。

インターリービング学習のグループでは、一次関数のグラフ問題、不等式、同類項をまとめる問題、そして円周率を使った問題が混ぜこぜになったワークシートを定期的に行いました。一方、ブロック学習のグループでは、1つのワークシートで一次関数のグラフ問題だけをやって、その2週間後のワークシートで同類項をまとめる問題をやる、というように、特定のトピックをまとめて勉強してもらいました。

ただし、同じような問題をやってから最終試験までの時間を一緒にするために、試験1カ月前の9つ目のワークシートは、両グループとも同じ4種類のすべての問題を解くものにしました。

抜き打ちテストの結果は、インターリービングを行った教室の生徒たちの正答率が61%と、ブロック学習をした教室の生徒たちの正答率38%よりも圧倒的に高いという結果でした。

授業中のワークシートの構成の違いだけで、23%近くも差が開いているのは驚きです。この研究では、インターリービングを行ったグループは、より頻回に間隔反復を行ったとも言えるので、この差は間隔反復の効果も含めているとしても、考えさせられる結果です。僕が算数・数学の教師ならば、間違いなくインターリービング（＋間隔反復）は導入したい学習法です。

ブロック学習では、ある問題に対しどの概念や公式を使って解くのかわかるような形で勉強しますが、インターリービングではそれぞれの問題に対し、どの概念や解法を適用すべきか自分で考えなければならないため、より負荷がかかる勉強法です。実際の試験では、問題が混ぜこぜで出題され、自分で解法を探らなければならないため、インターリービングは本番に備えさせる勉強法とも言えます。

インターリービングは、数学だけでなくさまざまな領域の勉強でその効果が示されています[5、68]。例えば、心電図[69]、化学[70]、鳥の分類[71]、絵画（作品からどの画家が描いたものかを当てる問題）[72、73]などです。

インターリービングもまた、勉強の効果を実感しにくい

インターリービングを行って勉強している時は正答率がブロック学習をしている時よりも低いためか、インターリービングは、効果を実感しにくいという特徴があります。ブロック学習とランダム学習のどちらのほうが効果的だと思うかを学生に質問すると、8割以上がブロック学習だと答えたというアンケート結果もあります[72]。

アクティブリコールについて、想起練習で勉強したグループが、勉強の直後には他の勉強方法で勉強した人たちと比べて、効果を実感できなかったことを以前の章で説明しました。

インターリービングも、アクティブリコールと同様に、「勉強の本当の効果は、勉強している本人には実感しにくいことがある」という一例と言えます。

インターリービングの注意点

インターリービングは、多くの勉強の場面で効果の高い学習と言えますが、注意点もあります。それは、全く異なる教科を混ぜこぜにしてもあまり効果が望めない、

ということです。例えば、フラッシュカードで勉強する時に、インドネシア語と解剖学の用語という全く異なる内容を混ぜこぜにして行っても、インターリービングには効果がなかったという論文があります[74]。

また、ある研究では、小学5年生に対してブロック学習かインターリービング学習を使って、分数を教えたところ、元々の知識レベルが低い生徒では、ブロック学習のほうが学習効果が高かったということも報告されています[75]。

全く理解していない場合は、最初にブロック学習を行い、ある程度理解を深めてから、インターリービングを導入したほうが良いかもしれません[5]。

ダンロスキーらの報告書では、インターリービングについては以下のように結論づけされています。

「今ある科学的根拠に基づき、インターリービングの有用性は中等度と評価する」[5]

なお、報告書ではアクティブリコールなどの他の学習法に比べて、研究数がまだ少ないこと、インターリービングの有効性を示せなかった研究報告もあって、どのような状況（学習者の能力、教材の難しさなど）において有効に活用できるのかまだわかっていないことなどが書かれています。

資格試験の問題集は混ぜこぜにしてやる

僕の勉強を振り返ってみても、インターリービングは特に大きな試験の前に取り入れていた学習法と言えます。例えば、アメリカの内科専門医試験を例に考えてみましょう。アメリカでは内科専門医の試験を合格したあとも、基本的には10年ごとに勉強し直して、専門医試験に合格する必要があります。医学的な知識は常にアップデートされているため、定期的にすべての内科領域を系統的に勉強しなおす必要があるというのは良い仕組みだと個人的には思っています。

内科といっても、その範囲は実に幅広く、呼吸器内科、集中治療内科、循環器内科、神経内科、腎臓内科、内分泌内科、血液内科、腫瘍(しゅよう)内科、リウマチ内科、アレルギー内科、感染症内科など、多くの領域の知識が求められます。アメリカの内科専門医試験対策に一般的に使用される教科書は計2300ページくらいあり、これに加えて、数千問のオンラインの問題を解くことがあります。

そして、例えば腎臓内科だけを見ても、腎機能の評価方法、輸液・電解質異常、酸塩基平衡異常、高血圧、慢性尿細管間質性腎炎、糸球体の病気、遺伝による腎臓の病気、急性腎障害、尿路結石、妊娠中の腎機能、慢性腎臓病など、さまざまな分野に分かれています。

この資格試験の勉強をする時に、教科書を読んでから問題集をやっていくのですが、問題集は混ぜこぜのインターリービングでやるようにしています。つまり、腎臓内科の勉強

専門医試験の勉強
で使う教科書

をする時は、電解質異常の章を読んでから電解質異常に関する問題を解くのではなく、教科書を広く読んでから、腎臓内科領域の問題を混ぜこぜにしてやるわけです。腎臓の炎症についての章を読んだあとに、腎臓の炎症に関する問題をやると、答えが簡単になってしまうため、僕の体感としては、問題を読んで「これは腎臓の炎症について聞かれているのかな、それとも別の病気のことを聞かれているのかな」と考えることによって、より負荷がかかり、理解が進むように感じます。

知識の応用力が培われた結果、診たことがない稀な病気を診断できたことも

また、異なる問題にさまざまな知識を活用することで、柔軟な思考が促進されます。

臨床の現場では、救急外来から入院してきた患者さんがどのような病気を持っているのか、診断がついていないことが多々あります。患者さんや家族から話を聞き、身体診察を行い、血液検査や画像検査などの客観的なデータと統合し、多くの病気の可能性を考慮したうえで診断する作業には、知識の応用力と思考の柔軟性が求められます。

片足だけ内出血を繰り返す壊血病（かいけつびょう）（ビタミンC不足）、世界で数例しか報告がな

かった薬の相互作用によるクッシング症候群、トリパノソーマ・クルージという南米にいる寄生虫による重度の心不全（シャーガス病）、10年以上も診断されてこなかった全身性エリテマトーデスによる心不全、アフリカにいるヒトクイバエの幼虫による皮膚の病気など、他の医者が診断できなかった病気をいくつか診断できたことがあります。

このように自分でも診たことがなかった稀な病気を診断できたのは、普段の診療においてインターリービング学習することによって、知識だけでなく、知識の応用力が培われてきたせいかもしれないと思ったりします。

一般的な勉強におけるインターリービングの手っ取り早い実践方法の例としては、模試や過去問を解くことが挙げられます。次から次にバラバラに出題される問題集を解くことで、知識の応用力が高まります。

数学の教科書・参考書などを解く時は、前後の章の問題を混ぜこぜにして解いてみる、歴史を「一問一答」のような本を使って勉強する時は、時代をバラバラにして答えてみるなど、インターリービングをどのように自分の勉強に取り入れられるのか考えてみましょう。

復習ノート

☑インターリービングとはどのような学習法ですか？

☑流暢性の錯覚（幻想）とは何ですか？

☑精緻的質問とは何ですか？

☑自己説明とはどのような学習法ですか？

☑アクティブリコールとは何ですか？

☑ダンロスキーらの学習法に関する報告書において、「有用性が高い」または「有用性が中等度」とされている学習方法には何がありますか？

CHAPTER 3

覚えにくいものを覚える古代からの記憶術

試験まで時間がない！　でも確実に覚えたい！　そんなあなたのための勉強法

覚えにくいものを覚える古代からの記憶術

これまで学習に関する論文を紹介しながら、科学的に効果の高い学習法について述べてきました。

アクティブリコールや分散学習、自己説明や精緻的質問、インターリービングなど実践するだけでも、かなり学習の効率が良くなること間違いなしです。

ただ、勉強をしていると、これらの方法を使ってもどうしても覚えにくい情報があると思います。例えば、難しい英単語、数字の羅列や年号、あまり馴染みがない固有名詞などです。

「試験まであまり時間が残されていない、でも確実に覚えておきたい」、そんな時には、僕は「記憶術」を使うことがあります。

記憶術と書くとなんだか怪しいもののように聞こえるかもしれません。僕が子ど

QUESTION

この本の内容を思い出せるだけ紙に書き出してみてください。

もの頃、よく雑誌に記憶術の通信教育の広告があり、当時「なんだか怪しいなぁ」と思っていたのを覚えています。しかし、あとになって、記憶術とは人類が古代に編み出した、覚えにくいものを覚えやすくする「頭の使い方」だということを知りました。

記憶術をあえて一言で言ってしまうと、**覚えにくいものを覚えやすいイメージに変換する**、ただこれだけだと思います。

文字というのは人間の脳にとっては比較的新しい情報の形態です。生物が脳を獲得したのは約5億年以上前だとされています。そして、人類にとって最初の文字体系は紀元前3000〜3500年頃にメソポタミアのシュメール人によって使われ始めたと言われています。

ですから人間の脳というのは文字情報をそのままの形で覚えることは、比較的不得意なのだと推測します。それまで人類は、生きていくために大切な情報は、文字情報としてではなく、視覚的なイメージや場所で記憶することが多かったのだと想像します。

例えば、自然の中を、食料を求めて歩いている時に、ブドウを見つけて食べて美味しかったら、丸い実が房になってたくさん付いている甘い果物、という視覚的なイメージを記憶していたことでしょう。

人間の脳にとっては覚えにくい文字や数字を、覚えやすいイメージに変換して記憶する、という方法には納得がいきます。おそらく、古代の人間は、「あれ！　こうしたらかなり覚えやすくなるぞ」ということを実感して、その方法を記録したのでしょう。

記憶に関して最も重要な資料の1つである、紀元前1世紀に書かれた『ヘレンニウスへ』では、記憶には自然に思い浮かべることができる記憶と、技術による記憶、つまり訓練で強化される記憶の2種類があり、技術による記憶には「イメージ」が必要であることが書かれています。今、本屋に並んでいる記憶術の本に書いてあることは、2000年以上前に古代の人によって書かれた方法と本質的には同じなのです。

イメージ変換法とは

覚えにくいものをイメージに変換する、と言ってもあまりやったことがない人はわかりにくいと思いますので、もう少し説明します。

まず、数字を例に挙げます。勉強をしていると、年号や何かしら決まった数字の羅列を覚えなければならない状況があります。そんな時、数字はそのままだと覚えにくいですが、イメージに変換することで覚えやすくなります。

覚えたいものをどのようにイメージに変換するかに関して、いくつもの方法があります。

英語圏で生まれ育った人は、数字をイメージにするために特殊な変換方法を使うことがありますが、日本人は幸い「語呂合わせ」が使えます。僕は、例えば14なら「石」「医師」など、いわゆる語呂合わせで簡単に思いつくものを使います。他にも、知り合いの顔を思い浮かべて「石井さん」「石田さん」に変換することもできます。

イメージするのは、できるだけはっきりと自分が思い浮かべることができる

「人」や「物」が良いと思います。この点で、よく年号を覚える時に使われている語呂合わせとは違います。

例えば、ポーツマス条約の年号1905年を覚えるとします。ポーツマス条約は、日本とロシアの間で結ばれた日露戦争の講和条約で、アメリカのニューハンプシャー州のポーツマスで、当時外務大臣だった小村寿太郎（こむらじゅたろう）とロシアの元蔵相セルゲイ・ヴィッテ（ウィッテ）との間で調印されました。

普通の語呂合わせだと1905を「遠くをご覧とポーツマス」「遠くでおこなったポーツマス条約」「ひどく怒られた小村寿太郎」といったフレーズで覚えます。

「イメージ変換法」の例

ただ、こうした普通の語呂合わせは、僕は覚えにくいと感じます。まず「遠くをご覧」「遠くでおこなった」などが、具体的なイメージとして想像しにくく、さらにそれらのイメージとポーツマス条約を関連づけることが難しいからです。

そのため僕は、イメージに変換する時は、形容詞や動詞への変換をなるべく避けて、具体的な「人」や「物」に変換するようにしています。

数字の19で僕がすぐに思い浮かぶのは、テレビアニメの「一休さん」です。そして、05は語呂からオモチャの「レゴ」が思い浮かびました。次に、小村寿太郎とこれらのイメージを関連づけることを試みます。特徴的なヒゲが生えた小村寿太郎の顔は覚えている人も多いと思います。もし忘れている場合は、ここで小村寿太郎の顔写真をネット検索して確かめてみてください。

例えばこのようなイメージを作ってみます。

小村寿太郎が会議室で「一休さん」と、レゴで真剣に遊んでいる場面を想像してみます。「なぜ小村寿太郎が、一休さんとレゴで遊んでいるんだ」と、少し驚いている自分の感情も含めて想像してみます。

これで、ポーツマス条約と聞くと、小村寿太郎が一休さん（19）と一緒にレゴ（05）で遊んでいる光景を想像し、1905年という年号が出てきます。

こうしたイメージ変換法の利点として、他の情報をイメージとして簡単に追加できることが挙げられます。

例えば、交渉の相手は、ロシアのヴィッテでした。ヴィッテという名前から僕は顔が思い浮かばないので、ヴィッテ→ビッテに変換し、グリコのチョコレートお菓子「Bitte（ビッテ）」を連想しました。さらに、この会合を仲介したのはアメリカの大統領セオドア・ルーズベルトでした。ルーズベルトはこの業績により、ノーベル平和賞を受賞するの

一休さんとレゴで遊ぶ小村寿太郎

で、この人物も覚えたいと思います。ルーズベルトの顔がパッと思い浮かばないとすると、ルーズベルトを最初の3文字が同じである「ルーズソックス」に変換します。

これで、ルーズソックスを履いた小村寿太郎が、一休さんとお菓子のBitte（ビッテ）を食べながら、真剣にレゴで遊んでいる、という変な光景をイメージしてみます。

あとで、ポーツマス条約と聞くと、このイメージから、一休さんで19、レゴで05、つまり1905年。お菓子のBitte（ビッテ）でヴィッテ、ルーズソックスでルーズベルトを思い出すことができます。

今、僕が1905という数字から短時間でパッと思い浮かんだイメージに変換してみましたが、「イメージがしっくりこない」「連想しづらい」という方もいると思います。例えば、05が「マゴ（孫）」や「孫の手」の方がしっくりくるという人もいるかもしれませんし、ルーズベルトは「ルース（緩い）なベルト」の方が良い、という人もいるかもしれません。その場合は、自分が覚えやすいほうのイメージを使ってみてください。

大切なのは、自分で「しっくりくるイメージ変換」をすることです。生きてきた環境や、体験してきたこと、数字や言葉から思い浮かぶイメージが人それぞれ異なるため、しっくりくるイメージにも個人差があります。これまでの自分の知識と経験を総動員して、イメージを作るのはけっこう楽しいことです。

イメージへの変換は、年号のような数字の羅列だけでなく、英単語や難しい単語などでも使えます。

例として、英検一級レベルの単語で試してみましょう。

- Sneer（スニア）　嘲笑う（あざわらう）
- Ascension（アセンション）上昇
- Dearth（ダース）不足、欠乏
- Petulant（ペチュラント）不機嫌な・怒りっぽい

こうした英単語（に限らず外国語の単語）は、アクティブリコールと間隔反復を使って覚えてもいいのですが、なんとなく馴染みがなく「覚えにくそうだな」と思ったら、イメージ変換を活用してみても良いと思います。

まず、Sneerを見てみましょう。「スニア」という発音から、ドラえもんに出てくる「スネ夫」を連想しました。ここで、単語の意味もイメージに含められるように、のび太を嘲笑っているスネ夫を想像します。そうすると次から、Sneerという単語を見た時に、のび太を嘲笑うスネ夫が頭の中で出てきて、「嘲笑う」という意味も思い出せます。

Ascensionは少し長い単語ですね。こうした単語は、2つに切って、イメージを2つくっつけられるか考えてみます。まず冒頭は「アセ（汗）」、そして最後の「ション」から、「ション便（小便）」が思い浮かびました。汚い言葉でも、覚えるためには、しっくりくるイメージであるならば、恥ずかしがらずにどんどん使っていきます。

この2つのイメージと単語の意味を関連づけられるか考えます。自分がアセをかいて、途中トイレがないので木陰でションベンをし、険しい山の頂上を目指して頑張って登っている姿を想像してみます。次から、アセンションという言葉を見た時に、汗を垂らし、ションベンをして、山の頂上を目指している自分のイメージから「上昇」という単語の意味を思い出します。

Dearth（ダース）という単語からは、映画「スター・ウォーズ」のダースベーダーが、寂しそうにしていて愛が不足しているイメージが思い浮かびました。あるいはチョコレート菓子の「DARS（ダース）」を友だちに配っていたら、数が足りないことに気づいたところを想像してみます。

Petulantはどうでしょうか。最初の「ペチュ」を「ポケモン」に出てくる「ピチュー」に変換してみます。後半のlantはランドに近いので、「ディズニーランド」に変換します。ピチューとディズニーランドに行ったら、仲間のポケモンたちがいないため、ピチューがとても不機嫌になっているところを想像しました。

もしくは、ペルーの「マチュピチュ」にディズニーランドが建てられて、現地の人が不機嫌になっているなど、いろいろなイメージの選択肢があります。

英単語にはどうしてもイメージに変換しにくい言葉もあるので、「覚えにくそうな単語」かつ「イメージに変換しやすそうな単語」に絞って、こうしたイメージ変換法を使うようにするといいでしょう。

ここまで特定の年号や英単語など、やや短い数字や単語の例を見ながら、僕なりのイメージ変換法を紹介しました。なんとなくポイントは掴めてきたでしょうか。

ストーリー法とは

試験勉強や資格の勉強をしていると、複数の、より長い数字や単語のリストを覚えたい場合があります。そんな時、僕が使うことがあるのは、記憶術の中でも「ストーリー法」と呼ばれるものです。これは、覚えたいものをイメージに変換して、ストーリー（物語）としてつなげていく、という記憶術です。

記憶術の本を読むと、ただモノの名前を順番に覚えていくという例が出てくることがありますが、本書では、実践に近い形で紹介してみたいと思います。

例として、中国のとても簡略化された歴代王朝の流れを、記憶術を使って覚えてみましょう。

夏→商→周→秦→漢→三国時代→晋→隋→唐→宋→元→明→清→中華民国

まず、「夏」は季節の夏がすぐに思い浮かびます。真夏の暑い中、自分が昼休みに学校の校庭に立っているところを想像してみてください。かんかん照りの中、汗をダラダラ垂らしながら、セミが鳴いているところも含めてリアルに想像してみます。

次の「商」で、すぐ思いつくのが「商人」です。商人という言葉で僕がパッと想像するのは、頭にターバンを巻いたアラブの商人のイメージです。真夏の暑い校庭に立っていると、商人がやってくるところを想像します。

その次の「周」ですが、「シュウ」という言葉から、冷

← 漢 ← 秦 ← 周 ←

たくて甘い「シュークリーム」に変換してみます。真夏の暑い校庭で立っていると、商人が来て、冷たいシュークリームを売ってくれて、それを自分が食べるところを想像します。「冷たくて甘くて美味しいな」という感覚を含めて想像してみてください。

「周」の次の「秦」。「シン」という音からまず思い浮かんだのは、「辛(しん)ラーメン」という辛いインスタントラーメンです。甘いシュークリームを食べたあと、まだお腹(なか)が空(す)いているので、昼ご飯に辛ラーメンを食べ始めるところを想像します。

辛いラーメンをたった一口だけ食べたあと、残念ながらチャイムが鳴ってしまいます。お昼休みの終了です。

次は「漢」、これは「漢字」が思い浮かびます。昼休みが終わって次の時間には、漢字テストを受けなければなり

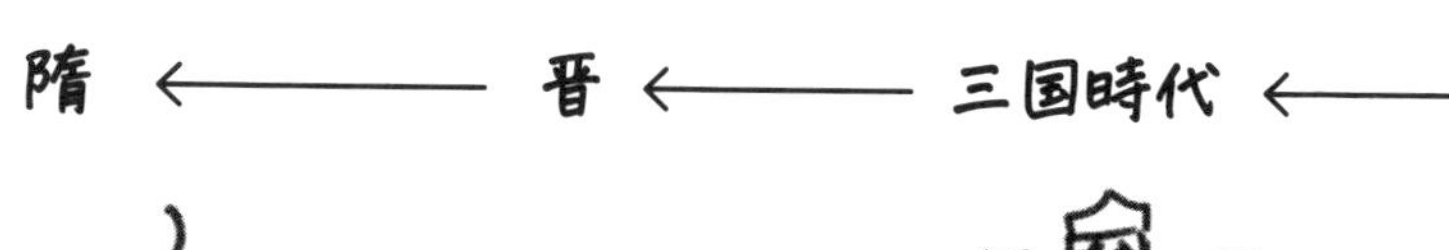

ません。全部食べられなかった辛ラーメンを惜しみながら、教室へ戻って、漢字テストを受けるところを想像します。

その次の「三国時代」からは、3国のトップである魏の曹操、蜀の劉備、呉の孫権の3人の男性が思い浮かびます。といっても、本人の顔を知っているわけではないので、なんとなく「3人の男性」に変換します。漢字テストが終わったあと、3人の男性が自分を迎えに来てくれるところを想像します。

次の「晋」、また「シン」が出てきましたが、これは「新幹線」に変換してみます。先ほど、自分が昼ご飯を食べそびれたので、美味しいご飯を食べるために3人と一緒に新幹線で別の街に移動するところを想像します。「さすが3人の英雄。ランチを食べに行くためだけに新幹線を使うなんてすごいな」と感心する感情も含めて想像してみます。

次の「隋」。「ズイ」からだとすぐに何かを想像ができな

かったので、「ズワイ蟹（がに）」に変換してみることにします。漢字テストが終わったお祝いに、みんなで豪勢にズワイ蟹の鍋を食べるところを想像します。

ズワイ蟹の鍋を食べていると、中には激辛の「唐」辛子が入っていて、それを食べてしまいました。

「唐」の次の「宋」と「元」。この二つは、一緒にして「草原」に変換してみます。ズワイ蟹の鍋に入っていた、激辛の唐辛子を食べてしまい、辛すぎて思わずレストランを飛び出したら、そこには草原が広がっていました。「あれ、なんでさっきまで街だったのに草原があるんだ」と不思議に思います。

草原（宋と元）に呆然と立っていると、ものすごい明るい光で目が眩（くら）みます。「明」を明るい光のイメージに変換しました。

次は「清」、今までに「シン」が2回出てきたので、ここは元プロ野球選手の「清原さん」に変換してみます。眩（まぶ）し

清 ←

い光がやや落ち着き、目をゆっくり開けると、そこには清原元選手が立っています。

清原さんと共に、また新幹線に乗り、学校の校庭に戻るところを想像します。

はい、ここまでのストーリーをもう一度イメージしてみてください。まず夏の校庭に立っていたら、商人（商）がやってきて冷たくて甘いシュークリーム（周）をもらいます。その後、辛ラーメン（秦）を一口食べたところでチャイムがなり、漢字テスト（漢）を受けます。テストが終わると、3人の男性（三国時代）が迎えにきてくれました。わざわざ新幹線（晋）に乗って、みんなでズワイ蟹（隋）の鍋を食べにいくことになります。鍋を食べているとき、激辛の唐辛子（唐）を食べてしまい、思わず外に飛び出したら、そこには草原（宋・元）が広がっていました。明るくまばゆい光（明）で目を閉じて、ゆっくり目を開けると清原元選手（清）が立っていて、彼と一緒に元の校庭に帰る——。

このストーリーを何度か頭の中で繰り返すだけで、中国の大雑把な時代の流れは楽しく覚えられると思います。

もう1つ、ストーリー法の練習として、ヒトパピローマウイルスという子宮頸（けい）がんを引き起こす重要なウイルスの遺伝子型の一部を覚えてみたいと思います。

ヒトパピローマウイルスは、皮膚や粘膜に感染する、とてもありふれたウイルスです。このウイルスには100以上の遺伝子型があり、そのうち「高リスク群」は、子宮頸がん、中咽頭がん、肛門のがんなどを引き起こす原

ヒトパピローマウイルス遺伝子型の分類

悪性度分類	HPV 遺伝子型
高リスク群	16、18、31、33、35、39、45、51、52、56、58、59、68、73、82
中間リスク群	26、53、66
低リスク群	6、11、40、42、43、44、54、61、70、72、81、89

出典：日本性感染症学会誌「性感染症　診断・治療ガイドライン2006」

因となるため、医学的には非常に重要なウイルスです。

高リスク群で最も重要な遺伝子型は、16と18です。そのほかに、31、33、35と続きます。

このようなたくさんの数字を覚えなければならない場合、そのまま覚えようとするのはかなり苦痛です。そこで僕は、記憶術で簡単に楽しく覚えることを考えます。「もしこのようなあまり馴染みのない数字をいくつも試験のために覚えなければならないならば、僕ならこうして覚えてみる」という例として紹介します。

最初の数字16で、すぐ思い浮かんだのはイチローさんです。「おいおい、イチローと言えば、オリックスとマリナーズで着用していた背番号51だろ！」そんな声が聞こえてきそうですが、申し訳ありませんが、ここでは16をイチローとさせてください。覚えるのがヒトパピローマウイルスの遺伝子型なので、「パ、ピ、ロ－マ」から思い浮かんだ、アイス菓子の「パピコ」をイチローが咥（くわ）えながら、バッターボックスに入っているところを想像します。

次の数字18は語呂で「イヤ」となるので「イヤホン」に変換してみます。パピコを咥えながら、バッターボックスに立っているイチローが、大きなイヤホンで、ヒップホップをガンガンに聴いている、といった奇妙なイメージを想像します。

ここまでで「パピローマ」、16、18を覚えました。

次の31は、語呂から動物の「サイ」が想像できるので、イチローさんに向かってサイが突進してくるところをイメージします。

次は33、これは「ミミ（耳）」に変換できます。突進してきたサイが、イチローさんの耳を噛みちぎる、という強烈なイメージを想像します。

耳を噛みちぎるなど、印象が悪いから他のイメージにしようかなと悩むこともあるでしょうが、パッと思い浮かんだ、自分の経験・記憶から自然に湧いてくる、しっくりくるイメージを優先したほうがいいと思います。

この次の数字35は、「サンゴ」がパッと思い浮かびました。噛みちぎられた耳の場所から、大きなサンゴが生えてくるイメージを思い浮かべます。「え、耳のところからいきなりなんでサンゴが生えてくるの？」という、驚いた感情も含めて想像してみましょう。

さて、最初からここまでのストーリーを思い出してみます。パピコを咥えたイチロー（16）がイヤホン（18）で音楽を聴きながらバッターボックスに立っていたら、サイ（31）が突進してきて、耳（33）が噛みちぎられ、そこからサンゴ（35）が生える。

このストーリーを何回か頭の中で繰り返すだけで、ヒトパピローマウイルスの高リスク群の遺伝子型5個を簡単に覚えることができます。もっと覚えたい場合は、数字をどんどんイメージに変換し、ストーリーをつなげていくだけです。

変換するイメージは、信じられないこと、面白いこと、気持ち悪いこと、怖いこと、エッチなことなど、より感情に訴えかけてくるような非日常なものにすると覚えやすくなります。感情を司る扁桃体（へんとうたい）が働くと、記憶に残りやすくなるからです[76]。

紀元前に書かれた『ヘレンニウスへ』でも、記憶のイメージに関してこのように書かれています[77]。

「記憶のイメージの中には、強く明瞭でしっかり記憶を呼び起こすことができるものもあるし、弱々しくて記憶をほとんど呼び起こすことができないものもある。(中略)実は自然が答えを教えてくれている。物事を些細で平凡でつまらないものと考えているとたいていは記憶できない。心が新しさやインパクトにかき乱されていないからである。しかし、例外的なことや、不名誉なこと、常軌を逸したこと、すごいこと、信じられないこと、大笑いできることならば、恐らく長い間覚えておくことができるだろう。見たり聞いたりすることの中で身近すぎるものは忘れてしまう事が多い」(ヘレンニウスへ：記憶術の原典)

イメージに変換する作業は、最初のうちは時間がかかって面倒くさいと感じるかもしれません。でも、慣れてくると比較的短時間で、自分にしっくりくる、面白いイメージが作れるようになると思いますので、ぜひ試してみてください。まずは、自分のクレジットカードの番号や歴史の年号などで練習してみることをお勧めします。

場所法とは

ストーリー法以外に、記憶術で有名なものとして「場所法」があります。場所法は記憶の宮殿、ジャーニー法、ロキ法など、いろいろな呼び方があります。大量のものを、順番通りに覚えるために、記憶力選手権で競い合う選手たちがよく使っている方法です。普段の勉強において僕はほとんど使うことはありませんが、資格試験の勉強で大量のものを順番通りに記憶しなければならない人にとっては役立つかもしれません。

場所法では、まず覚えたいものをイメージに変換し、そのうえで、自分がよく知っている場所、例えば自宅や通学路、仕事場に、「記憶の置き場所」を決めてそこにイメージを配置していきます。

もう少し具体的に書くと、自分の家を記憶のイメージの置き場所にするならば、ドア、玄関、洗面台、台所の冷蔵庫、食卓、ソファ、寝室など、イメージを置く場所と順番をあらかじめ決めておき、ここに自分が作ったイメージを配置していきます。

その後、頭の中で、最初から順番通りに歩きながら、配置した記憶のイメージを思い出していくという方法です。

先ほどのヒトパピローマウイルスで作ったイメージで場所法をやるとすると、まず家に帰ったらイチローがドアのところに立っていて自分が驚くところを想像します。「え、イチローが僕に会いにきてくれた」と嬉しい気持ちを含めて思い浮かべてみましょう。

玄関に入ると、自分の体と同じくらい大きいイヤホンが置いてあり、家に入るのに苦労するところをイメージします。

次に、洗面台に入るとサイがいて、動物園

「場所法」の例

の臭いがするところを想像します。

台所に行くと、冷蔵庫のドアから、たくさんの耳が生えているという不気味な光景を思い浮かべます。

そして、食卓は、木製ではなくサンゴでできていて、ザラザラ、ゴツゴツしていて「おしゃれだけど、これでは食べにくいなぁ」という自分の感情も含めて、想像してみます。

長くなるので、最後までやりませんが、このように、記憶のイメージを、あらかじめ決めておいた記憶の置き場所に置いていき、もう一度頭の中で順番通りに歩いてみると、ドアにいるイチロー、玄関に入ったらイヤホン、洗面台にはサイがいて……というふうに思い出すことができます。

知り合いの家に遊びに行き、一度ぐるっと歩き回っただけで、どこに冷蔵庫があったか、トイレがあったかをあとで思い出せる人は多いと思います。

人間の脳というのは、イメージだけでなく「場所」についても覚えやすいらしく、場所法はこの特性を活かした記憶の方法と言えます。

記憶力を競う選手たち（メモリーアスリート）がよく使うのがこの場所法です。トランプデッキの並びを短時間ですべて正確に覚えたりする時に場所法がよく使われます。

選手たちが記憶している時にファンクショナルＭＲＩ（磁気共鳴画像）という方法を使って脳の活動を調べると、空間的記憶に重要な役割をする領域が活性化されていた、という論文があります[78]。おそらく、頭の中で、記憶の置き場所を歩き回っていたからだろうと考察されています。

こうした記憶術について詳しく書こうとすると、それこそ本が１冊書けてしまうくらいの分量になってしまいます。実際に本屋にはたくさん記憶術の選手たちが書いた本がありますので、興味のある方は、ぜひ読んでみてください。僕のお勧めはジョシュア・フォアの『ごく平凡な記憶力の私が１年で全米記憶力チャンピオンになれた理由』（梶浦真美訳、エクスナレッジ）です。

ここまで年号や、英単語、中国の歴代王朝、ヒトパピローマウイルスの遺伝子型の例を使って、勉強においてどのように記憶術が使えるのかを説明してきました。

具体的な例をもっと知りたいという方は、僕のYouTubeで「アメリカ歴代大統領32代から45代」や、結核の仲間である非結核性抗酸菌を楽しく覚える方法を説明した動画があるので観てみてください。

最後に、本書でも度々触れているダンロスキーらの学習法の報告書では、記憶術に関してどのように書かれているかを紹介します。報告書では「キーワードニーモニック」と表現されていますが、これは頭の中でイメージ化して覚えていく記憶術のことを指しています。研究の分野では、特に外国語の単語を覚えるために有用かどうかということが、1970年代以降に調べられてきました[5、79]。

記憶術に関しては、小学生から大学生まで、学習障害を有する学習者を含めて効果があることがわかっているものの、記憶術にはある程度の訓練が必要であること、イメージ化するのが難しい言葉があること、長期的な記憶への定着に関しての効果がまだはっきりわかっていないことなどが、その欠点として書かれています。そうしたことから、より効果が実証されていて、訓練しなくても使えるアクティブリコールよりは有用性が低いのではないかというのが結論です。

この点については、僕も同感です。ただ、特に覚えにくいものについては、記憶術は役に立つことがあると思います。

復習ノート

☑記憶術にはどのような方法がありますか？

☑記憶術で作るイメージは、どのようなものが記憶に残りやすいですか？

☑自分のクレジットカードの番号を覚えていなければ、記憶術を使って一度覚えてみてください。

☑インターリービングとはどのような学習法ですか？

☑本書の内容を思い出せるだけ白紙に書き出してみてください。

CHAPTER 4

勉強にまつわる 心・体・環境の整え方

1 勉強のモチベーション
2 勉強のヒント
3 睡眠の大切さ
4 運動の大切さ
5 勉強で不安を感じた時

勉強にまつわる心・体・環境の整え方1

勉強のモチベーション

この本を手に取って、今読んでいる方は、学ぶ意欲にあふれているのだと想像します。学びたいという気持ちがなければ、そもそも勉強法の本を手に取らないでしょう。勉強に対するモチベーションについて、特に困っていないという人は、次のセクションまで飛ばしてしまっても構いません。

このセクションでは、学習でのモチベーションについて考えてみたいと思います。なぜなら、今まで述べてきたようなアクティブリコールや分散学習といった効果的な勉強法を知識としていくら知ったとしても、学ぶモチベーションがなければ意味がないと思うからです。といっても、モチベーションというのは大きなテーマであり、ここで深く包括的に扱うことはできないので、いくつかのキーワードを簡単に紹介し、何か実践できることがないか、みなさんと考えていきたいと思います。

自分との関連を考える

まず、これは当たり前のことかもしれませんが、人間は、自分に関連した情報のほうが覚えやすいという特性があります。自分に関連する情報をより効果的に処理し、記憶しやすいこの現象は「**自己関連づけ効果**（Self-reference effect）」として知られています。

逆に言えば、自分に関連がない、自分にとって意味がないと感じてしまうと、人はやる気が湧かないし、なかなか覚えられないということになります。これもまた当然のことのように思えます。

でも、この当たり前だけれども重要なことが、特に義務教育の現場で無視されているることがあるのではないでしょうか。学校で習う特定の科目で勉強する気が湧かないことがあるのは、自分に何の関連があるのか、何の役に立つのかわからない、と感じてしまうことが大きな原因であるように思います。

僕自身、今になってみれば中学や高校での勉強は大切だと思うのですが、高校生の時は「なんでこんな勉強をする必要があるのだろうか」と感じることがよくありました。そうしたこともあって、勉強したことが目の前の他者に役に立つことがわかりやすい医学という学問に興味を持ったことが、医学部を目指した1つの理由でした。

医学の勉強を始めてからは、「これは将来、自分が診る人のために役に立つかもしれない」ということが常に感じられました。また、アメリカの医師国家試験に向けて1人でコツコツ勉強している時も「これを勉強することで、アメリカで内科と感染症医学を学ぶ道へつながる」、「多様な人がいるアメリカの医療現場で働けるようになる」と自分との関連が明確であったため、強いモチベーションを持つことができました。

勉強する時、なぜそれを自分は学ぶべきなのか、それについて自分で明確な答えを見出せているなら、それは学ぶための大きなモチベーションになります。

もし、勉強する時にモチベーションが上がらないという場合は、いったん立ち止まって、自分の生活や人生にその知識や情報がどのように関連があるのか、なぜそれを勉強するのか、について書き出してみることには意味があります。

研究

サイエンス誌に掲載された自己関連づけ効果に関する研究を紹介します[80]。この研究では、262人の高校生を2つのグループに分けました。

- 介入グループ：科学（化学や物理）の授業内容がどのように自分に関連するかについて定期的にエッセイを書いてもらう
- もう一つのグループ：ただ授業内容のまとめを書いてもらう

自分との関連について書くというシンプルな介入であるにもかかわらず、その科目を不得意だと思っていた（成功の期待が低かった）生徒では介入グループのほうが、その科目への興味が強く、成績も明らかに良いという結果でした。

自己関連づけ効果

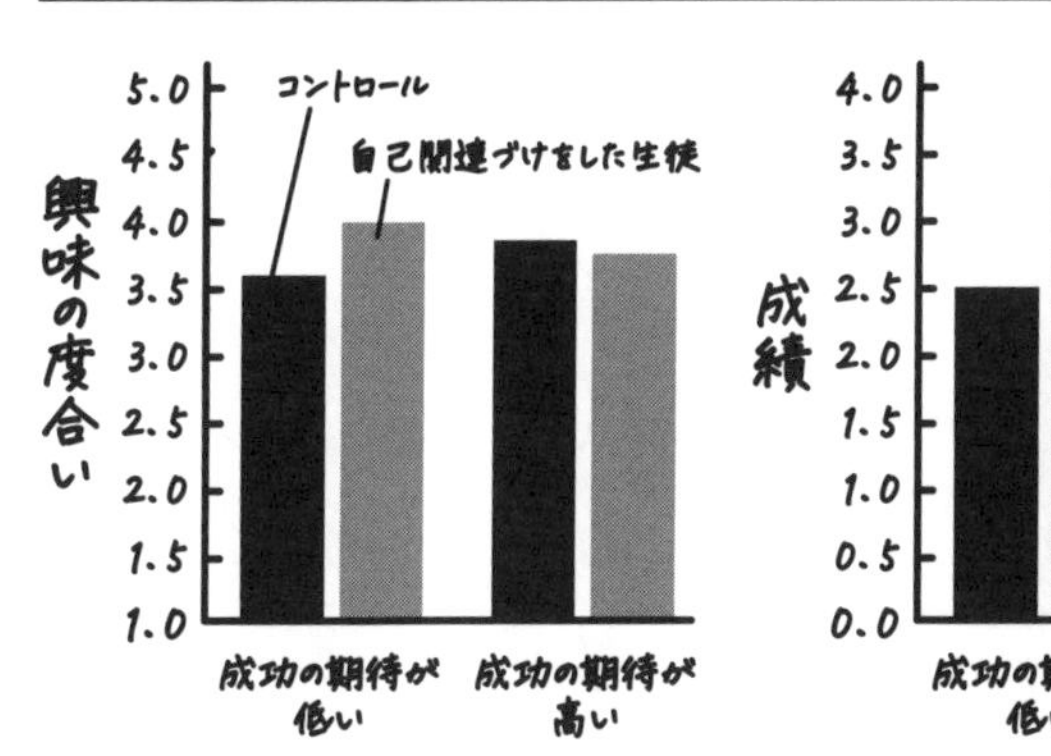

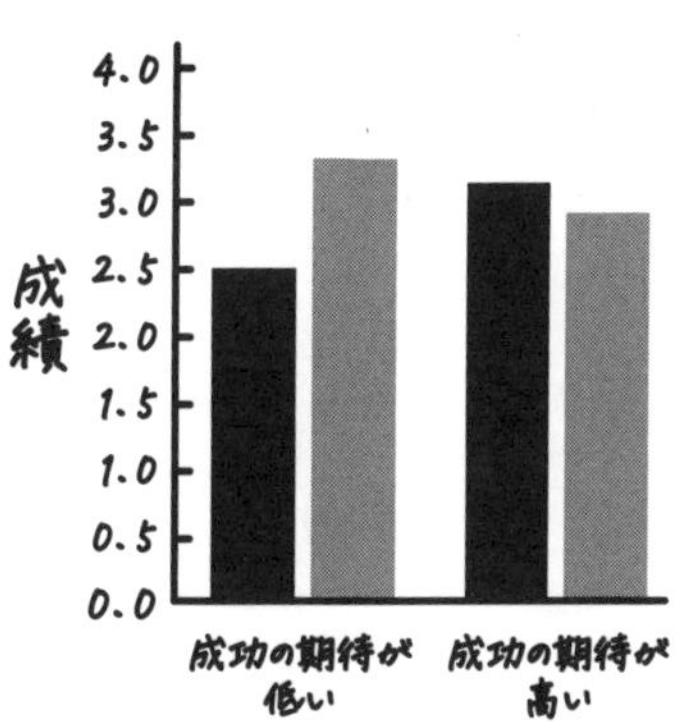

同様のことは、大学生を対象とした研究でも確認されています[81]。こうした学習内容について、自分との関連を考えさせ学ぶ価値を認知させることを**利用価値介入**（Utility value intervention）といいます。特に、ある特定の科目について不得意だと思っている人やモチベーションが湧かない人にとっては大切なステップだと思います。

現在、世界的に最も影響力のある起業家の1人であるイーロン・マスクは、好き嫌いを別にして興味深い人物です。あるインタビューで、何かを学ぶうえで一番重要なことは何かと問われた際の彼の回答は、まさに自己関連づけ効果に言及しているものであり印象的でした。

「何かを覚えるためには、それに意味を与えなければなりません。なぜこれが自分に関連があるのかを言ってください。なぜ、自分に関連があるのかを言えれば、おそらくそれを覚えるでしょう」

(Full Send Podcast　https://youtu.be/fXS_gkWAIs0?si=zv8Dxwj9jewocWdk)

自分のアカデミック・セルフコンセプトについて考える

自分との関連以外に、学習のモチベーションに影響を与えるものとして、セルフコンセプト（自己概念）があります。セルフコンセプトとは、自分自身についての理解や認識のことを指します。

そして、勉強において大事なのが**アカデミック・セルフコンセプト**（Academic self-concept　学業的自己概念）です。これは「自分は数学が得意だ」、「自分は文系（もしくは理系）だ」といった学業に関する自分自身についての認識であり、本書を読んでいる方でも何かしらのアカデミック・セルフコンセプトを持っているのではないでしょうか。

ある研究では、高校生の時のアカデミック・コンセプトが、ＩＱなどよりも、卒業後の学歴や職業に対する志向（「生計を立てるためにどのような仕事をすると思うか？」に対する回答）に影響していることが報告されており、人生の選択にも大きく関わってきます[82]。

アカデミック・セルフコンセプトは、過去の自分の学業の成績（算数のテストで良い点を取れた）、教師や親、友人からのフィードバック（算数が得意だね、と言われた）、同級生との比較、他の教科での成績との比較（算数のほうが国語よりもできる）といったさまざまな要因によって形成されます。

例えば、過去の算数の成績が良いと、「自分は算数が得意だ」という肯定的なアカデミック・セルフコンセプトが形成されますが、それだけでなく、「自分は算数が得意だ」というアカデミック・セルフコンセプトがあることによって、さらに算数へのモチベーションに好影響を与え、結果として成績が良くなるというように、アカデミック・セルフコンセプトと成績は相互に影響し合う関係にあります[83]。

学習者の努力に対して褒めることや、学習目標に向けての進歩や達成度に関する肯定的なフィードバックを与えるなどの介入を行うことによって、セルフコンセプトを向上させることができるという報告もあります[84]。自身で何ができるのかについては、後述する自己効力感の項目で触れたいと思います。

日本では、教育において理系・文系というものが二項対立的に扱われることがあります。そのせいで「自分は文系（もしくは理系）」というアカデミック・セルフコンセプトを持つ方が多いように感じます。「自分は文系だから」と自分で決めつけ、特定の分野の勉強しかしないで、自分の可能性を狭めてしまうのはとても勿体ないことです。

僕も高校生までは、どちらかというと数学が得意であったため、「自分は理系」というアカデミック・セルフコンセプトを持っていたように思います。しかし、大学生になってからは学問というものはすべてつながっていることを実感し、アカデミック・セルフコンセプトに囚(とら)われすぎず、いろいろな分野の勉強をすることが大事だと考えるようになりました。

自己効力感を高める

勉強についてのモチベーションを考えるうえでとても重要な概念として、カナダの心理学者バンデューラによって提唱された**自己効力感**（Self-efficacy）があります[85]。自己効力感とは、ある目的を達成するために必要な行動を、自分がどの程度うまく行うことができるかという個人の確信の程度で、「自分にはこれができる」という感覚のことを指します。

自己効力感が高い人は、学習のモチベーションが高く、より高い目標を設定したり、うまく学習計画を立てたりと、学習プロセスを自分自身でよくコントロールできることがわかっています[86]。また、高い自己効力感を持つことは、学習の粘り強さや高い学業成果につながります[87]。

さらに、何かの学習分野についての自己効力感が高まると、その分野への興味が強まり、興味が強いと自己効力感が高まるといった相互作用があります[88]。

このように、自己効力感は学習のいろいろな側面に大きな影響を与えます。

「あなたができると思おうと、できないと思おうと、どちらも正しい（Whether you think you can, or you think you can't, you're right.）」という、フォード・モーター・カンパニーの創設者であるヘンリー・フォードが言ったとされる言葉があります。これは自己効力感の力についての格言であると思います。「自分にはできる」、そう信じることが、何か高い目標を達成するための大切な鍵になります。

では、自己効力感はどのように高めることができるのでしょうか。自己効力感に影響を与えるものとして、以下のようなものがあります。

①**成功体験**（制御体験　Mastery experience）：自分自身で課題に取り組み、成功する経験を積むことで自己効力感は高まります。この成功体験が、自己効力感に最も影響を与えるとされています[89]。

②**代理体験**（Vicarious experience）：他人が何かの課題を成功させることを観察することで、自己効力感は高まります。例えば年齢など自分と共通点を持っている人が、試験に合格するのを見て、「自分にもできるかもしれない」という気持ちを持つことがその例です。

③**言語的・社会的説得**（Social persuasion）：「君ならできる」「このプロジェクトは大変だけど君ならうまくいくよ」といった、上司、教師や友人、親からの励ましや支持によっても、自己効力感は高まります。

④**生理的・感情的状態**（Physiological and affective states）：不安や緊張などの感情や、動悸などの生理的反応が、自己効力感に影響を及ぼすことがあります。例えば、重要なプレゼンテーションの前に強い不安や緊張を感じて、ドキドキすると自己効力感が低くなることがあります。

学習において自己効力感を高める1つの具体的な手段としては、**達成可能な小さな目標を設定し、成功体験を積み重ねていく**というものがあります。

研究

目標設定が自己効力感に及ぼす影響を調べた、バンデューラとシャンクによる有名な研究があります[90]。この研究では、算数の引き算ができない平均8歳の小学生40人に、42ページの引き算の問題集を、7セッション（各30分）にわたって解いてもらいました。その際に、目標設定に関して異なる次の4つのグループに分け、自己効力感や、最終テストの成績、4回目セッション後に何ページ解けたかなどを調べました。

①近接目標（Proximal goal）グループ：1セッションに少なくとも6ページを終わらせる目標設定にすることを提案

②遠隔目標（Distal goal）グループ：7セッションが終わるまでに42ページを目標にすることを提案

③目標なしグループ：特に目標は設定しないが、各セッションでできるだけ多くのページをやるように指示

④コントロールグループ：特に何も言われない

自己効力感の評価は、難易度の異なる25問の引き算の問題を素早く見せて、どれくらい自分は解けると思うかを点数化してもらうことで測定しました。実験開始時、4回目のセッション後、そして引き算の試験のあとに、自己効力感の評価を行いました。

結果は、小さな目標を設定した生徒たちのほうが、自己効力感が上がり、最後のテストの成績も高いというものでした。さらに、研究の4回目のセッションが終わる頃には、小さい目標（近接目標）を設定したグループの生徒たちは教材の約74％を完了していました。これに対して、大きい目標（遠隔目標）を設定したグループや、特に目

異なる目標設定ごとの自己効力感と成績の変化

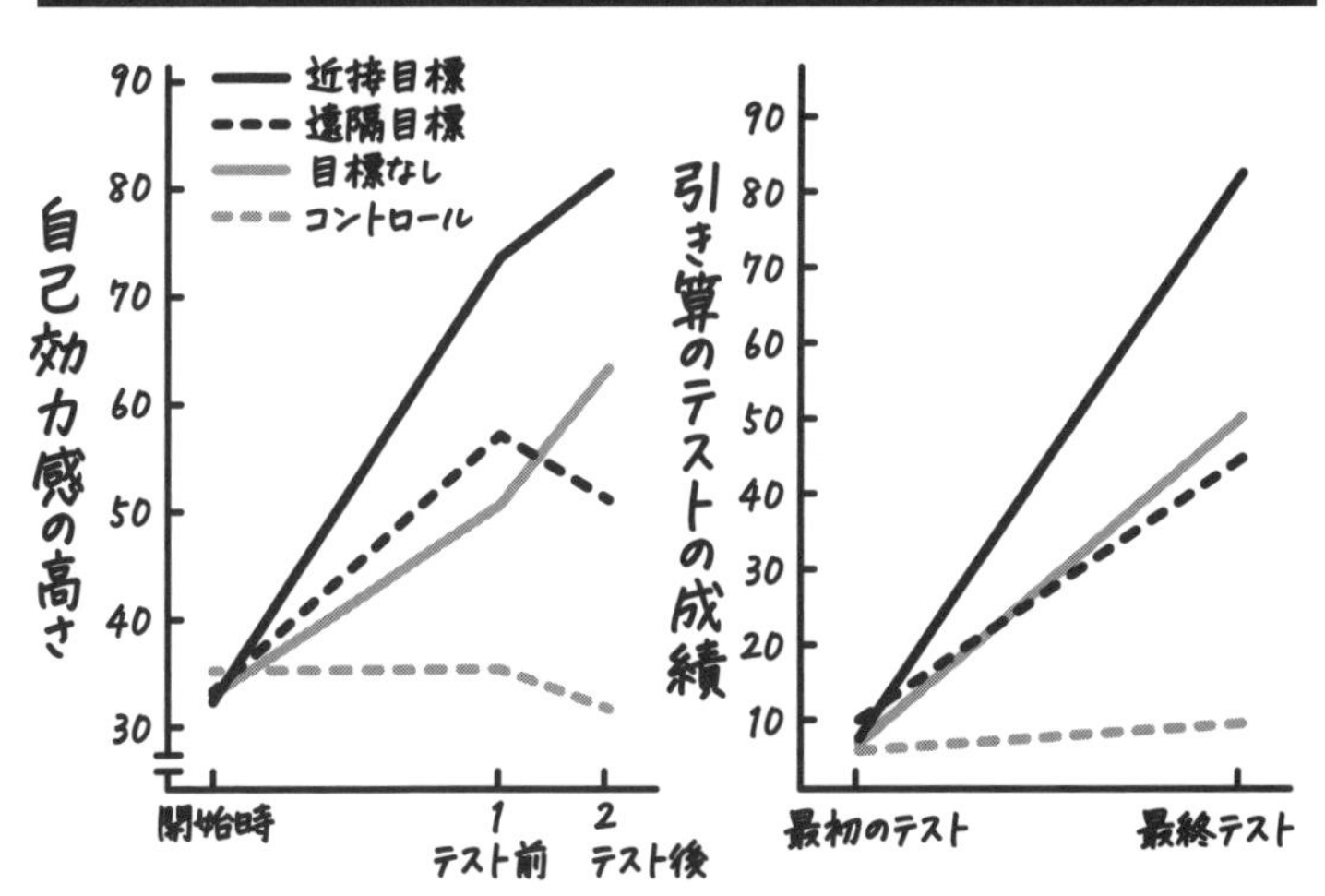

標を設定しなかったグループの生徒たちは、それぞれ約55%、53%しか完了していませんでした。つまり、勉強の進みが一番早いのは、小さな目標を設定したグループでした。

自分の勉強の進捗状況を記録しよう

また、自己効力感を高めるためには、小さな目標を設定すること以外にも、**セルフモニタリング**と言って、自分の勉強の進捗状況を記録することが有効です[91]。自分が勉強した教科の内容、時間、ページ数や問題数を記録すると、パフォーマンスが上がるという報告があります[92、93]。

何かの勉強において、モチベーションが上がらないという時は、自己効力感を高めるためにも、大きな目標を、短期間で達成可能な小さな具体的な目標に細分化して、自分の進捗状況を記録してみましょう。小さな目標を一つひとつ達成していくことによって、自己効力感や興味が高まり、大きな成果を達成できるようになります。

大きな目標を分解して、短期間で達成できる小さな目標をただ、一つひとつこなしていくというアプローチは、学習に限らず何か大きな目標を達成したい時の基本的な戦略であると思います。

あなたは、長い間やりたいと思いつつ行動に移せていないことはありますか？

その原因が「自分にはできないかもしれない」という思いからきているなら、目標を小さく、短期間で達成可能なステップに分解してみましょう。

まずはその中の1つを実行し、次にもう1つと、一歩ずつ進めていくことで、「自分にはこれができる」という自己効力感が徐々に高まり、最終的な目標達成に向けて前進することができます。

僕が日本の医師国家試験とアメリカの医師国家試験を同時に勉強していた時期の手帳のページを載せます。

そこには「鬼スケジュール」という謎の言葉が、汚い字で書かれています。

1月19日〜21日は、日本の医師国家試験（2月17日〜19日）の約1カ月前。この頃は、僕が1日約12〜13時間勉強していた時期です。

毎日、起きてからその日の小さな目標を書き、終わったら線で消していく。解いた問題集（例：腎QB99回というのは、第99回医師国家試験の腎臓内科の問題集）

や問題数（UW30は、アメリカの医師国家試験のためのオンライン問題集の30問を解いたということ）を記録していたことがわかります。

アメリカの医師国家試験をできるだけ高得点で合格するという目標を掲げ、細分化された小さな目標を達成していく。そしてその進捗状況を記録する、という当時の作業は、僕の自己効力感を高めることに寄与していたように思います。

当時アメリカへの臨床留学の情報は少ない状況でしたが、日本人医師や外国人医師で、アメリカへの留学を達成した人のブログなどを読むこと（代理体験）も自分の自己効力感を高めることに役立っていました。

さらに生理的・感情の状態が自己効力感に影響を及ぼすことは前述した通りです。寝不足や疲れている時は、どうしてもやる気がでなかったり、自己効力感が低くなったりすることは、誰でも経験したことがあるのではないでしょうか。自己効力感を高めるためには、自分の体調や精神状態を運動や睡眠によって良好に保つことが大切です[94, 95]。睡眠と運動は学習においても重要なことなので、あとのセクションで詳しく説明します。

	19 Friday (vendredi / venerdì / viernes / Freitag)	20 Saturday (samedi / sabato / sábado / Samstag)	21 Sunday (dimanche / domenica / domingo / Sonntag)
8	鬼スケジュール	鬼スケジュール	鬼スケジュール
9	~~Physiology~~	14:15〜	12:30
10	~~Neuro~~ ~~[illegible]~~	~~Physiology~~ ~~Pulmonary~~	~~physiology GI~~ ~~GI section 読む~~
11	~~Physiology Renal~~ ~~[illegible]~~	~~Pulmonary Section 音読~~ ~~Pharmacology~~	~~GI Pharmacology~~
12	~~Renal Section~~ 音読	21:00 〜 4th [illegible] Biochem 復習 (KAPLAN) Note	100問 ~~Physio [illegible]~~
13	~~Pharmaco Renal~~		
14		~~呼吸QB~~	99回
15	~~腎QB~~	99回	血液
16	99回 解く		
18	50問 USMLE World 30問		
22	UW 30	UW 30	UW 30
23			精神 [illegible] 耳・口・眼

僕が日本の医師国家試験とアメリカの医師国家試験を同時に勉強していた時期の手帳のページ

自分で決める、できると感じる、誰かとつながる、内発的な目標を設定する

学習に限らず、人のモチベーションを考える際に参考になる理論的枠組みの1つとして、「**自己決定理論**(Self-determination theory)」があります[96]。

なんだか難しそうな言葉が出てきたので「もういいや、ここを読むのをやめようかな」と思う人もいるかもしれませんが、ごく簡単に説明してみたいと思います。この理論を知ることで、学習だけでなく仕事などでも、自分や他人のモチベーションについて、より理解できるようになるかもしれません(と、ここで自己関連づけ効果を狙ってみました)。

このような学問的な理論は、私たちの複雑な社会を理解するのに新しい視点を提供してくれることがあり、勉強することの醍醐味でもあると思います。

まず、モチベーションと一口に言っても、心理学的には大きく2つに分けられることは有名です。

内発的動機づけ(Intrinsic motivation)は、自分が何かをする理由が、その行動自体に楽しさや興味を見出している状態のことを指します。「好きだからやる」、

「楽しいからやる」というような活動自体が目的になっている場合は、内発的動機づけによるものです。

例えば、子どもが遊ぶ場合や、好きな本をただ楽しむために読む場合、ただ知りたいから何かの勉強をする場合などが挙げられます。

一方、**外発的動機づけ**（Extrinsic motivation）は、外からの報酬や罰に反応して生じる動機づけで、行動の目的が活動そのものの外部にある場合を指します。

「自分が、ただしたいから」ではなく、親に怒られないために宿題をやる場合や、給料をもらうために働く場合、資格取得のために勉強する場合などは、外発的動機づけによる行動と言えます。

ただ、外発的動機づけによって行動するにしても、親に怒られないために勉強する場合と、将来困っている人を助ける弁護士になりたいから自発的に勉強する場合ではかなり差があります。

自己決定理論では、この外発的動機づけを、おもに自律性や自己決定の度合いによって、いくつかの段階に分けます。つまり、「内発的動機づけ＝良い、外発的動機づけ＝悪い」という単純な分け方でなく、外発的動機づけの中でも自発性の高いものは内発的動機づけに近いと考えます。

そして自己決定理論では、人には次のような3つの心理的欲求があり、これらが満たされることで、内発的なモチベーションが推進されると考えます。

■**自律性**（Autonomy）：他人に強制されたり圧力を感じたりせずに、自分の行動を自分で、選択・決定すること。自己決定理論の中核と言えます。

■**有能感**（Competence）：自分が何かを上手にできるという実感や、特定のタスクや挑戦を成功させる能力。

自己決定理論で説明できるゲームのモチベーション

■**関係性**（Relatedness）：他人とのつながりや帰属意識を持つこと。

自己決定理論は、仕事や教育、健康づくり、スポーツなど、さまざまな領域で適用できると考えられています[96~98]。

教育の現場では、教師が生徒の自律性・自発性を支援したり、生徒に選択肢を与えたりすることで、内発的なモチベーションが高まるという研究報告があります[99~101]。

この3つの欲求がなぜモチベーションにつながるのかピンとこない人は、個人的には、なぜ人はゲームに没頭するのかを考えるとわかりやすいように思います。

僕もかつては「ファイナル・ファンタジー」や「ドラゴンクエスト」などのロールプレイングゲームや「ゼルダの伝説」などを、非常に高いモチベーションを持って何時間も熱中していました。最近では、多数のプレーヤーがオンラインでつながるゲームも増え、世界的にもゲーム人口は増えています。

まずゲームをやるというのは大体の場合、誰かに強制されるのではなく自分がやりたいからやる、という自発的なものです。ゲームの中では、さまざまな選択肢が用意されていて、自分が行動を決めることができるので、自律性の欲求が満たされます。また、敵を倒す達成感や、レベルが上がることによって成長していく感覚があり、有能性の欲求が満たされます。そして、ゲームの中の仲間（オンラインでは実際の他者）とつながる感覚もあります。

ゲームというと、とかく悪い側面が注目されますが、自己決定理論の観点からゲームに対するモチベーションを考察する面白い論文もあります[102]。

自分や他人のモチベーションについて考える時に、「これは自分で決めたことなのか」「有能感を感じることができているのか」「他の人や社会とのつながりはどうなのか」という観点から評価してみると、モチベーションがなぜ高い（もしくは低い）のか、気付くことがあるかもしれません。

「内発的な目標」が学習効果を高める

さらに、自己決定理論では、目標設定について「**外発的な目標**（Extrinsic goal）」と「**内発的な目標**（Intrinsic goal）」の2つの種類があるとします。外発的な目標は、お金、社会的地位、評判など、他人からの評価や物質的なものを得ることです。

一方、内発的な目標とは、外からの報酬や承認を目指すのではなく、知識を深めたり、新しいスキルを身に付けたりという自分の成長、地域・社会への貢献、健康維持、深い人間関係の構築など、個人の価値観や興味に基づいて設定する目標です。

学習におけるモチベーションや学習成果を高めるためには、外発的な目標を目指すのではなく、内発的な目標を設定するほうが良いという報告があります[103、104]。また、内発的な目標は、自律性、有能感、関係性の欲求を満たし、ウェルビーイング（身体的、精神的、社会的に良好な状態）にもつながります[96]。

復習ノート

- ☑自己関連づけ効果とは何ですか？

- ☑アカデミック・セルフコンセプトとは何ですか？

- ☑自己効力感とは何ですか？

- ☑自己効力感を高めるためにできる、本書で紹介されている方法は何ですか？

- ☑自己決定理論における人間の持つ３つの心理的欲求は何ですか？

- ☑３つの心理的欲求の観点から、自分にとってモチベーションのあること（またはないことを）評価してみてください。

- ☑内発的な目標とは何ですか？　外発的な目標とどのように違いますか？

- ☑分散効果とは何ですか？

勉強にまつわる心・体・環境の整え方2

勉強のヒント

ここまで、論文を紹介しながら科学的に効果の高い勉強法やモチベーションについて説明してきました。このセクションでは、これまでのセクションには当てはまらない、僕が個人的にやってきたことや、大事だと思うこと、または勉強のヒントになりそうなことについて書きたいと思います。中には必ずしも科学的にきちんと検証されているわけではないこともありますが、参考になることもあるかもしれません。

インプットは場所を変えてみる

日本で一日中勉強していた時期、僕は勉強場所を数時間ごとに変えるということをしていました。

例えば、朝起きて自分の家で数時間勉強してから、図書館まで歩いて行き、そこでまた勉強し、その後、家の近くの「ミスタードーナツ」や「タリーズコーヒー」

で勉強し、家に戻ってまた勉強する、というようなことをしていました（僕の勉強を支えてくれた喫茶店に感謝します）。

当時は、同じ場所でやっているとなんとなく飽きてくるのと、喫茶店の場合は長くいすぎると申し訳ないという気持ちがあるため移動していましたが、この勉強の場所変えはそれなりに意味のあることだったのではないかとあとで思うようになりました。

まず、集中力が途切れた時に歩くことで気分転換をし、また集中するというサイクルが作れたこと、歩くことで運動につながったこと（これについては「運動の大切さ」のセクションで書きます）、そしていろいろな「環境的文脈（Environmental context）」で情報をインプットできたからです。

記憶が形成された環境や状態が、あとでその記憶を思い出す際に影響を与えることは**記憶の文脈効果**（Context effect）として知られています。

例えば、何かの情報を覚えた場所と、思い出す場所が同じ時のほうが、より覚えた内容を思い出しやすいという現象があります[105]。学校の教室で何かを覚えて、その内容についての試験を受ける時、その教室で試験を受けると、他の場所で試験を受けるよりも情報を思い出しやすくなります。

何かを覚える時、人は知らずのうちに環境の情報も一緒に覚えていて、それらの環境の情報が覚えたことを思い出すための手掛かりになると考えられています。

この効果を利用するならば、試験会場で勉強したほうが良いということになりますが、ほとんどの場合、そんなことはできません。

興味深いことに、思い出す場所が、覚えた場所と異なる場合、複数の異なる場所で情報を入力したほうが思い出しやすいことを示唆する報告があります[105、106]。

研究

例えば、ミシガン大学の学生を対象とした研究では、学生を2つのグループに分けて40個の英語の名詞を覚えてもらいました[106]。

- Aグループ：同じ部屋で2回覚える
- Bグループ：2つの異なる雰囲気の部屋で覚える

3時間後に、今度はまた別の部屋に来てもらい、どれくらい名詞を覚えているか予告なしに試験したところ、Aグループが平均15・9個しか思い出せなかったのに対し、Bグループは平均24・4個も思い出せました。

他の人がいるところではあまり集中できないという人は、無理に場所を変えてやる必要はないと思いますが、記憶が文脈（記憶した時の環境や感情など）に依存することがあることを知っておくことは何かの参考になるかもしれないので紹介してみました。

また、こうした文脈効果があるのならば、例えば、勉強する環境を実際の試験会場に似せてみることや、実際の試験会場をリアルに想像しながら勉強することは意味があるかもしれません。

スキマ時間は素晴らしい勉強時間

まとまった時間、自分の机で勉強したい、そう思う人は多いと思います。

でも、通勤・通学の移動時間、休憩時間、トイレの時間、誰かを待っている時間、家事や育児の合間などは、アクティブリコールや分散学習を行う良い勉強時間です。

スキマ時間が仮に1日1時間あるとするなら、平日だけでも1年で240時間以上あることになります。同じ範囲を1時間まとめて勉強するよりも、30分2回というように分散して勉強するほうが効果的だということは、分散学習のセクションで説明しました。

この時間を、なんとなくソーシャルネットワーキングサービス（SNS）を見て過ごすのか、学びに使うのかで大きな差が生まれることは明らかです。

僕は、日本にいた時はいつでもスキマ時間に勉強や読書ができるように、常に複数の本や教科書を持ち歩いていました（複数あると気分によって選ぶことができます。そういえば一度、複数の教材を持たずに出かけてしまい、その時手元にあったドイツ語の辞書を電車で真剣に読んでいる姿を先輩に見られ苦笑いされたのを思い出しました）。

▼電車の中でも勉強できる

電車で勉強することが習慣化されていて、1人で電車に乗ることが勉強開始の合図（Cue）になっていたように思います。

僕が昔、通学で乗っていた東急東横線は通勤時間には体が浮かび上がるくらいパンパン、熱気ムンムンの満員電車でしたが、たとえそのような本を開けない状況でも、昨日覚えたことを頭の中で思い出す（アクティブリコール）という効果的な勉強ができます。思い出せなかったところは、電車を降りたあとに確認し、フィードバックします。アメリカの医師国家試験の勉強をした時は、トイレに薬理学のフラッシュカードなど、短時間でも進められる教材を常に置いていました。

現在でも、子どもの習い事の待ち時間などのスキマ時間をできる限り勉強や仕事に活用しています（本書のための調べ物や執筆作業も、多くのスキマ時間を利用して行いました）。

中国の古典『淮南子（えなんじ）』には「学ぶに暇あらずという者は、暇ありといえども亦（また）学ぶ能（あた）わず（学ぶのに時間がないという者は、時間があっても学ばない）」という言葉があります。時間がないことを学ばない言い訳にしてはいけないと、考えさせられる言葉です。

仕事や家事・育児が忙しくて、「勉強する時間がない」と感じてしまう人は多い

QUESTION

内発的な目標とは何ですか？

と思います。自分や生活を変えるために勉強したいのであれば、1日の中でどのようなスキマ時間が、どれくらいあるのかを把握し、勉強に少しでも時間が充てられないか考えてみることが大切だと思います。

勉強しないと後悔することもある

人は何に後悔するのかに関するアメリカでの調査結果を集めて分析した「私たちが最も後悔すること……そしてその理由（What We Regret Most…and Why)」と題された論文があります[107]。

この研究によると、一番多くの人（32・2％）が後悔していたことは、教育・勉強に関してでした（2位はキャリア、3位が恋愛、4位は育児）。

人が後悔すること

1位 教育・勉強（32％）

2位 キャリア（22％）

3位 恋愛（15％）

4位 育児（10％）

「もっと勉強しておけばよかった」「違う分野の勉強をすればよかった」「大学に行けばよかった」など、こうした勉強・教育に関することで多くの人は後悔することが報告されています。

なぜ人は、勉強に関して後悔することが多いのでしょうか。

この論文の著者である心理学者ニール・ローズらは、「機会（Opportunity）」に焦点を当てて考察しています。

人は、機会がなくてできなかったことよりも、機会が与えられており「自分でやろうと思えばできたのに、やらなかったこと」に後悔するのだと言います。

今の社会では、学ぶ機会は多く与えられています。社会人のリカレント教育、多様な分野でのオンライン教育（例えばハーバード、スタンフォード、MITなどの名門大学の授業も一部無料で受けられるようになりました）、語学教育、Amazonや本屋で手に入る書籍、YouTube動画などのオンラインコンテンツ……。多くの知識は、学ぼうと思えば学べる時代になりました。

僕もYouTubeに動画を投稿しようと思い、動画編集の仕方をYouTube動画で学び、ごく簡単な編集（カットやテロップ入れ）は1日でできるようになりました。

さらに、ローズらは勉強すること・教育を受けることが、やりがいのあるキャリアやより高い収入など、自分の人生の変化につながることを多くの人が認識していることも1つの理由であると言います。

「もっと勉強しておけば、人生が違ったかもしれない」、そう感じる人が多いのかもしれません。

「いつか落ち着いたら」「今は忙しいから」「もう少し考えてから」……何かを始めない理由は、いくらでも思いつくものです。

でも、もし何か学びたいと思っているのならば、後悔しないためにも思い切って始めてみることをお勧めします。

好奇心がある時は、ただ突き進む

アインシュタインはこう言いました。

I have no special talent. I am only passionately curious.

(私には特殊な才能はありません。ただ、熱狂的な好奇心があるだけです)

また、ノーベル物理学賞を1965年に受賞したリチャード・ファインマンは以下のように述べました。

I don't see that it makes any point that someone in the Swedish Academy decides that this work is noble enough to receive a prize. I've already got the prize. The prize is the pleasure of finding things out.

(スウェーデン・アカデミーの誰かが、この仕事がノーベル賞を受けるに足る高貴なものだと判断したところで、何の意味もないでしょう。私はすでに賞をもらっています。その賞とは、ものごとを突き止めることの喜びです)

もし人間の脳に、好奇心というメカニズムが備わっていなかったら、人間は今のような技術的・文化的に進歩した社会を築けていなかったでしょう。知的好奇心(英語ではEpistemic curiosity、ここでのEpistemicは知識・認識に関するという意味)は、新しい知識を得たいという本能的な欲求です。

脳科学によると、僕たちが新しい情報に触れて好奇心を持つと、脳の報酬系と呼ばれる部分が活性化し、ドーパミンが放出されることがわかっています。

このドーパミンの放出は、新しい知識の探求を促すだけでなく、集中力を高め、新しい情報の取り込み（記銘や符号化。英語ではEncoding）と長期記憶への保存（固定化、英語ではConsolidation）にも寄与します[108]。

つまり、好奇心がある時は、あえてゲームの「スーパーマリオ」で例えてみるならば、スターを取ったあとの無敵状態のように、学習にとっては非常に有利な状態と言えます。

好奇心が働いている時は、集中力も高く、やる気もあるし、覚えやすいし、忘れにくいのです。子どもの好奇心が旺盛であることが多いのは、まさに脳が世界・人間社会についてできるだけ早く知ろうとしているのではないかと思います[109]。

アインシュタインに大きな知的刺激を与えたのは、アインシュタインの家に週に1回食事に来ていたマックス・タルムード（のちにタルメイに改名）という貧しい21歳の医学生だったと言われています[110]。この医学生が、当時10歳だったアインシュタインに、数学や物理の本を持ってきて、最初の頃は教えてあげることもありました。

その中でも、彼が持ってきた自然科学のシリーズ本は、アインシュタイン本人も「それは私の成長全体に大きな影響を及ぼした」と話すくらいインパクトがあったようです。

義務教育の授業に関係なく、アインシュタインの好奇心を満たしてあげるために、科学について教えてあげるタルムードの存在は重要だったのだと想像します。

何か新しい情報に触れて好奇心が芽生えたのなら、それが少し脇道に逸れることでも、時間が許す限りその脳の欲求に従ってみるべきです。

僕も何かを勉強していて、好奇心が湧いたら、なるべく従うようにします。覚えられるからというよりも、ただ単に学ぶことがとても楽しく感じられるからです。

▼好奇心に突き動かされるままに勉強した結果、僕が得たものとは？

僕が好奇心に突き動かされて勉強を進めた一例をお話しします。

アメリカに住んでいると、周りの同僚や友人からは日本人として見られ、日本のことをよく聞かれることがあります。そうしたこともあって、僕はアメリカに住んでから、日本のことをもっと知ろうと思うようになりました。

数年前、日本の歴史について勉強し直そうと思い、参考書を読んでいました。そして、奈良時代の章まで来た時に、現存する最古の文献は『古事記』である、という説明を読み、古事記の原文を読んだことがないことに気付きました。そんな大切な資料を海外に住む日本人として読まないのは良くないと考え、岩波文庫の古事記や現代語訳を日本から取り寄せて読み始めました。

医者として読んでいると古事記の日本神話には、大変興味深い記述が多くあり、好奇心が次々に刺激されました。

例えば、イザナミという日本の国を産んだ神様が、火の神を産んだあとに、ホト(女性のアソコ)が焼けて病気になり、嘔吐と下痢を起こして亡くなったという描写があります。ホトが焼けたというのは炎症が起きたとも考えられ、その後に嘔吐や下痢などの消化器症状が出たという描写は、医学的には産褥熱(さんじょくねつ)が考えられます[11]。特に産褥熱を起こすA群ベータ溶連菌による重症な感染症では、消化器症状はよく起こるのです[112]。

また、黄泉(よみ)の国でイザナギが待ちきれずにイザナミを見たら、ウジがたかっていたという描写があります。なぜこのような描写があるのか、イザナギはどれくらいの時間を「待てない」と感じたのか、好奇心が湧きあがります。

過去には、死亡の診断方法はまだ確立されておらず、遺体の腐敗や虫の発生は死の診断に有用でした。『源氏物語』では、葵（あおい）の上が亡くなったあと、本当に亡くなっているのか確かめるために2、3日待って見たけど、だんだん変化したので諦めたという描写があります。日本では、死の判定に脈診が使われるようになったのは文献の上では鎌倉後期だとされています[113]。一方で、人類最古の文学作品の1つ『ギルガメシュ叙事詩』では、エンキドゥが亡くなった時に、「彼の心臓にさわったが、それは動いていなかった」という記述があり、いかにメソポタミアの医学が進んでいたかが垣間見えます。

また、今日でも虫を使った死亡時期の推定は、屋外で人が亡くなった場合に行われることがあります。法医昆虫学によれば、たくさんウジが出てくるのは、温度や場所にもよりますが、2日~7日間程度だと言われています。数日間を待ちきれないと感じる、過去の日本人の時間に対する感覚というのもおぼろげながら見えてきます。

これらはごく一部の例で、書き続けると本書が勉強本ではなく日本神話を考察する本になってしまうのでやめておきますが、とにかく日本神話に好奇心を刺激され続けた僕は、どうせのことなら医学的な観点から日本の神話を考察し、新しい解釈を加えてみようと思いました。

日本の神話は歴史学、言語学、文学、比較神話学など、さまざまな角度から研究が進んでいますが、医学的観点から包括的に評価した論文は非常に少ないと思ったからです。

そこで僕は、古事記や日本神話の研究者が一般向けに書いた書籍、古事記の研究者が書いた専門書、学術論文などを読み、休日の多くの時間を使って「古事記の神話—医学的視点から」という、僕の臨床医としてのキャリアには全く役に立たず、日本で最も読者が少ないであろうと思われる論文を書き上げることができました[114]。

僕はいったい、たくさんの時間を使って何をしたのか、と思われるかもしれません。

古事記の知識を得ることで、海外の人たちに日本のことをより深く伝えられるようになったなど、それらしい理由を一応挙げることはできますが、一番僕が得たもの、それは好奇心によるドーパミンの放出、何かを知る・考えることの喜びです。

好奇心が湧き、集中力も高く、やる気もあり、覚えやすく、忘れにくい状態になったら没頭してみる。そうすれば学習効果が高いだけでなく、勉強自体が楽しいと感じます。

「学ぶことは楽しい」、そう思えたら、さらに勉強したくなるはずです。

家庭、教育機関、そして社会全体で、知的好奇心が芽生えた際にそれを追求できるような環境を整えることは重要です。「試験のために」「キャリアのために」という勉強だけでなく、「ただ楽しい」という好奇心から学びを深めることができる人が増えたら、社会はより多様で深い知を蓄積することができると思います。

教材は簡単なものから難しいものへ

僕は何かの領域を新しく自分で勉強する時は、まずは簡単すぎず、難しすぎない教材から始めるようにしています。

これには大きく2つの意図があります。

1つ目は、勉強や課題でも「Optimal challenge（最適な難易度）」が人の興味やモチベーションを高めるからです[115]。難しすぎると、「自分にはわからない」と感じ、自己効力感や有能感が感じられなくて挫折してしまいます。その点、比較的簡単な教材を読むと、1つ小さな目標を達成することができるので、その後の学習のモチベーションにもつながります。

2つ目は、その領域での全体像をできるだけ早く把握すると同時に、その領域の知識の土台を作ることができるからです。どれくらいの範囲なのか、どのようなテーマ・項目に分かれているのか、そしてエッセンス（最も重要なこと）は何なのかがわかりやすい入門書は、全体像の把握と知識の土台作りにうってつけです。

日本の本屋には、あらゆるジャンルの本が、入門書からより専門的な本まで並べられていて知識の宝庫のようです。小学校から高校までの教科に含まれるものであれば、わかりやすく良質な教科書・参考書が数多くあります。勉強し直したい場合は、学習まんがシリーズや、小学生・中学生向けの参考書から、始めてみるのもよいでしょう。

入門書的な教材から勉強し始め、難易度の高い本（例えば、専門家が書いた二次資料）や論文などの一次資料へと段階を上げていきます。

また、資格試験に限った話をすれば、多くの合格者が使っていて評価の高い参考書・問題集を軸に勉強したほうが、試験に落ちるリスクは低くなります。

自分の興味がある分野について勉強する場合、個人が書いた本は情報や見解が偏っていることもあるため注意が必要です。

例えば、いわゆる「健康本」にはどれほど売れていて、Amazonでの評価が良くても、医者目線から見て不正確で偏った情報が記載されているものが数多くあります。個人が書いた本の情報は、専門的知識がなければ判断が難しいこともあるので、他の専門家たちが書いた本を幅広く読んだり、公的機関が発表している情報や論文などの一次情報などを参照したりする必要があります。

情報における英語の重要性

学校の期末試験や日本の資格試験の勉強など特定の分野を除けば、最新の情報やより正確で専門性の高い情報を得るためには英語の能力が必須です。特に自然科学や科学技術については論文の9割以上は英語で書かれているので、一次情報を検索し、読解するための高度な英語力が求められます。

さらに最近では重要な情報が、音声や動画としてインターネットで比較的簡単に入手できるため、リスニング能力があると情報源の幅が広がります。

ビジネスパーソンにとっても、世界情勢や他国の企業に関する英語の情報を理解できるかどうかが、大きな違いを生むことになるでしょう。


自然科学以外の領域の勉強でも英語は重要です。


個人的な例を書いてみます。アメリカに住んでいる日本人として、僕は一時期、戦後の日米関係について勉強していたのですが、日本の戦後について知るためには、日本と比べて公文書の管理・公開がしっかりしているアメリカの国立公文図書館で得られる英語の一次資料が非常に参考になりました。

ネットや論文を探しても手に入らなかった、日本にとって重要な一次資料について、アメリカの研究者の方にメールを送り、資料を提供していただいたこともあります。

憲法について調べていた時も日本語の書籍だけでなく、GHQが作成した『Political reorientation of Japan（日本政治の再編成）』といった英語資料が、考えを深めるために役立ちました。

DeepL、ブラウザの拡張機能やChatGPTなど、便利な翻訳ツールも発達してきましたが、やはり今のところ精度に限界があり、やや手間もかかります。一次情報を検索して、取捨選択し、読んで理解するには、やはり自分で読めるに越したことはありません。

本書では英語の勉強法については述べませんが、例えば『TOEFLテスト英単語3800』（旺文社）などの英単語をこの本に載っている勉強法で効率よく覚えて、自分のレベルに合った英語の本や記事をとにかく読んでいくのが近道であるように思います。

ファインマンテクニックについて

学びたいことについての理解を深める勉強法の一つにファインマンテクニックがあります。アクティブリコールや分散学習のように科学的にしっかり検証されている勉強法ではありませんが、アメリカではよく知られている勉強法なので、ここで紹介しておきます。

ファインマンは、前述した通り物理学でノーベル賞を受賞した人物で、彼は難解で複雑なことをわかりやすく楽しく説明する素晴らしい教師だったことでも有名です。ビル・ゲイツはファインマンのことを「The best teacher I never had（私が直接教わらなかった、最高の先生）」と言っています。

ファインマンが日常の些細なことを、科学的な視点から楽しそうに話している動画はYouTubeでも見ることができ、僕の好きなコンテンツの一つです。

ファインマンテクニックのいろいろなバージョンがインターネットには出回っていますが、僕の知る限り、ファインマン自身が詳しく説明した勉強法ではなく、ファインマンについての文章を読んで、スコット・ヤングという方が２０１１年頃に生み出した勉強法です[116]。

ファインマンは、ノートブックに「私が知らないことについてのノートブック（Notebook of things I don't know）」と書き、そこに何週間もかけて物理学の各分野について検証し、本質的な核心を突き止めようとしたことが伝記に書かれています[117]。

ファインマンテクニックの方法は以下の通りです。

①紙の一番上に、理解したい概念や（数学や物理などの）問題を書く
②その下の余白を使って、その概念や問題を、他の人に教えるかのように説明してみる
③自分が明確な答えを書けるほど理解していなかった場合には、元の教材に戻って答えを見つける[116]

このファインマンテクニックは、アクティブリコール、プロテジェ効果、フィードバックという点で、僕が行っていた「ブツブツ呟いて教えるフリをしながら書き出す白紙勉強法」と共通点があると思います。

スマートフォンはどこかへ・悪い習慣を断ち切る

勉強しないといけないけど、スマートフォンをつい触って、SNSを眺めていると、あっという間に時間が過ぎていた。このような経験は、本書を読んでいる方にもあるかもしれません。

スマートフォンは大変便利な道具ではあるものの、時間を奪うだけでなく、勉強のパフォーマンスにも大きな影響を与えます。

研究

ある研究では、大学生に2つの条件下で6分間勉強してもらい、その後に内容についてのクイズを受けてもらいました[118]。

1つは、携帯で誰かとテキストメッセージをやり取りしながら勉強するグループ
もう1つは、携帯を視界の外に置いて勉強するグループ

テキストメッセージをやり取りしながら勉強を行った場合、クイズの点数が27%悪くなるという結果でした。

▼スマートフォンはあるだけで集中力を奪う

また、スマートフォンは恐ろしいことに、使っていなくても、机の上やポケット・かばんにあるだけで、脳のパフォーマンスに影響を与えるという報告もあります。

研究

520人の大学生を対象とした研究では、スマートフォンを机の上におくグループ、ポ

ケット・かばんに入れるグループ、別の部屋に置くグループに分けて、ワーキングメモリー（情報を短期間保持して処理する能力）と流動性知能（新しい問題を理解し、解決する能力）と呼ばれる認知機能を測定するテストを行いました[119]。

するとスマートフォンを別の部屋に置いていた学生たちのほうが明らかに良い結果を得ることができました。スマートフォンは使っていなくても、自分の近くにあるだけで意識してしまい、認知機能に影響を与えることを示唆します。

勉強に集中したい時は、スマートフォンを別の部屋に置いたほうが良いでしょう。僕も集中する時は、スマートフォンの通知を切り、見えないところに置いています。ただ、病院からの重要な連絡や、子どもの学校からの緊急の連絡があるかもしれないので、電話の音が聞こえる範囲には置くようにしていました。現在は「アップルウォッチ」を使っているので、電話があった場合はウォッチで気づけるようにしています。

勉強中はスマートフォンを使わない、と簡単にいっても、知らずにSNSが習慣化してしまっていてなかなかやめられないという方もいるかもしれません。

SNSを提供する企業は、人の心理を熟知していて、あなたがプラットフォームにできるだけ長く留まるように設計しています。

「よーし！ 勉強勉強！ スマホは絶対触らないぞ！」と心の中でいくら叫んでも、悲しいかな人間の意志というのは習慣には勝てないことがあり、数分後に気づいたらスマートフォンを触っている自分がいる、なんてこともあります。

習慣とは、特定のきっかけや合図（Cue）に対して、ある反応・行動（Habitual response）が自動的に行われてしまう状態です[120]。従って僕たちはSNSを開くことが習慣になっているのに、それに気付けないことがあります。

SNSの場合、こうしたきっかけと反応が重なり合っていると考えられています[121]。例えば、勉強前に「ちょっと面倒だな」「つまらないな」という気分がきっかけとなり、スマートフォンを触る（反応）。スマートフォンの画面にいつも使っているアプリのロゴが見える（きっかけ）→そのアプリを開く（反応）。通知がきている（きっかけ）→通知を開く（反応）。そして、通知を開くと、自分の投稿に「いいね」が押されていると報酬（Reward）が得られる。

こうした「きっかけ↓反応↓報酬」のループが繰り返されると、習慣が強化されていきます。

自分がどのような場面で無意識にスマートフォンを手に取ってしまうのか、自分のきっかけと反応について考察することが大切です。

▼悪い習慣はきっかけをなくそう

悪い習慣を断ち切るための効果的な方法の一つに、**「きっかけをなくす」**というものがあります。つまり、通知を切る、アプリをホーム画面に表示させない（またはアプリを削除）、スマートフォンを別の部屋に置く、などです。

「きっかけ→反応→報酬」のループ

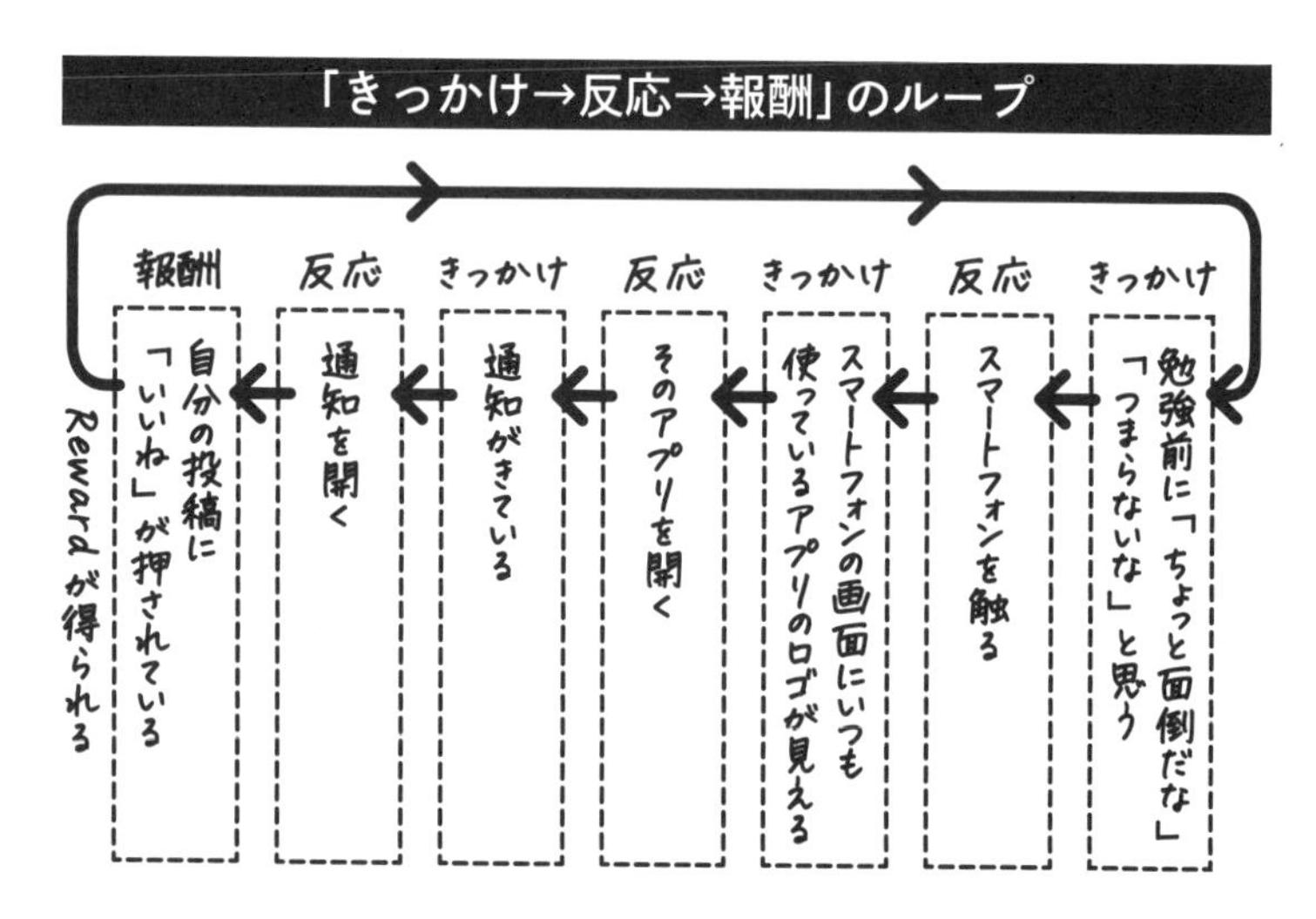

また、スマートフォンの画面を見づらくする、使いづらくするといった方法もあります。

例えば、表示をグレースケール（白黒表示）にすることは、その1例です。カラフルな画面がなくなると、スマートフォンの使用は退屈なことに感じられ、画面の色の変化を見ることでより意識的な使用につながります。

また、スマートフォンの真ん中にヘアゴムを巻くという「ヘアゴムテクニック（The hair band technique）」と呼ばれる方法をとる人もいます。

ヘアゴムを巻くと、画面が少し見づらくなるだけでなく、スクロールなどの操作がしづらくなり、「今、スマートフォンを使う必要があるのか」と考える目印にもなります。

スマートフォンをなんとなく触って時間を浪費してしまうという人は、自分の悪い習慣の「きっかけ」について考え、どのようにそれを除去すればいいのか考えてみてください。

▼「ぼーっとする時間」を確保するためにも、スマートフォンとの距離をとろう

スマートフォンについて、もう1つだけ。

何かを勉強したあとの「ぼーっとする時間」（英語ではWaking rest/Wakeful rest）も記憶の長期記憶への保存（固定化）に一定の役割を果たしているのではないかという論文があります[122]。

タスクを行わず、何にも集中していない時に使われている脳の領域のネットワークは「デフォルト・モード・ネットワーク（Default mode network）」と呼ばれ、まだわからないことが多いものの、感情や記憶に関する処理、自分自身についての情報の処理など、さまざまな重要な活動を行っていると言われています[123,124]。

僕は病院で忙しく働いたあとや、患者さんの死といったストレスフルなことが起きたあとなど、ぼんやりしてしまうことがあります。自分でもよくわかりませんが、そうした時、自分の脳で何か大切な処理がされているのだと感じます。

スマートフォンは手っ取り早く脳を刺激できる道具ですが、「ぼーっとする時間」を確保するためにも、スマートフォンとの距離をとったほうがいいと思います。

勉強に使えるツール

学習には、アクティブリコールと分散学習が、決定的に大切であるという話をしました。この2つの学習方法を組み合わせれば効果の高い学習ができるわけですが、そのやり方はたくさんあります。

その1つが、フラッシュカードを使う方法です。

紙のフラッシュカードに書き込んでいくのが面倒くさい、いちいちカードを持ち歩きたくないという人でも使えるのが「Anki」です。Ankiはアメリカでは人気の分散学習アプリで、勉強量が膨大なアメリカの医学生の多くが使っています。

Ankiは、フラッシュカードの問題を解いた時の難易度（「もう一度」「難しい」「正解」「簡単」）によって、次に表示される間隔が異なるという特徴があります。

また、通常の一問一答形式のカードだけでなく、穴埋め形式の問題など、いろいろな問題を作成できるうえ、画像や音声などの埋め込みができます。同様のアプリは多くありますが、メジャーなものとして紹介してみました。

Ankiは『脳が認める外国語勉強法（Fluent Forever: How to Learn Any Language

Fast and Never Forget It)』（ガブリエル・ワイナー著、花塚恵訳、ダイヤモンド社）でも紹介されているソフトです。僕は本を読んでいる時にパソコンが近くにあれば覚えたい内容をAnkiのフラッシュカードにしていくことがあります。

コーネル式ノート術

ノートに文字をただ書き写すのはあまり効果的な勉強法ではないことは以前の章で説明しました。

では、ノートは全く無駄なのかというと、ノートの取り方によっては効果があると思います。

僕が効果的だと思うコーネル式ノート術を紹介します。コーネル大学のウォルター・パウク教授が考案したノート術です。

このノートでは、ノートのページを左の図のように3つのセクション（Ⓐ・Ⓑ・Ⓒ）に分けます。

Ⓐのセクションは、覚えたい内容を書くスペースです。このⒶの内容に関した質問やキーワードをⒷのセクションに書きます。

QUESTION

学習においてなぜ好奇心が大切か説明して下さい。

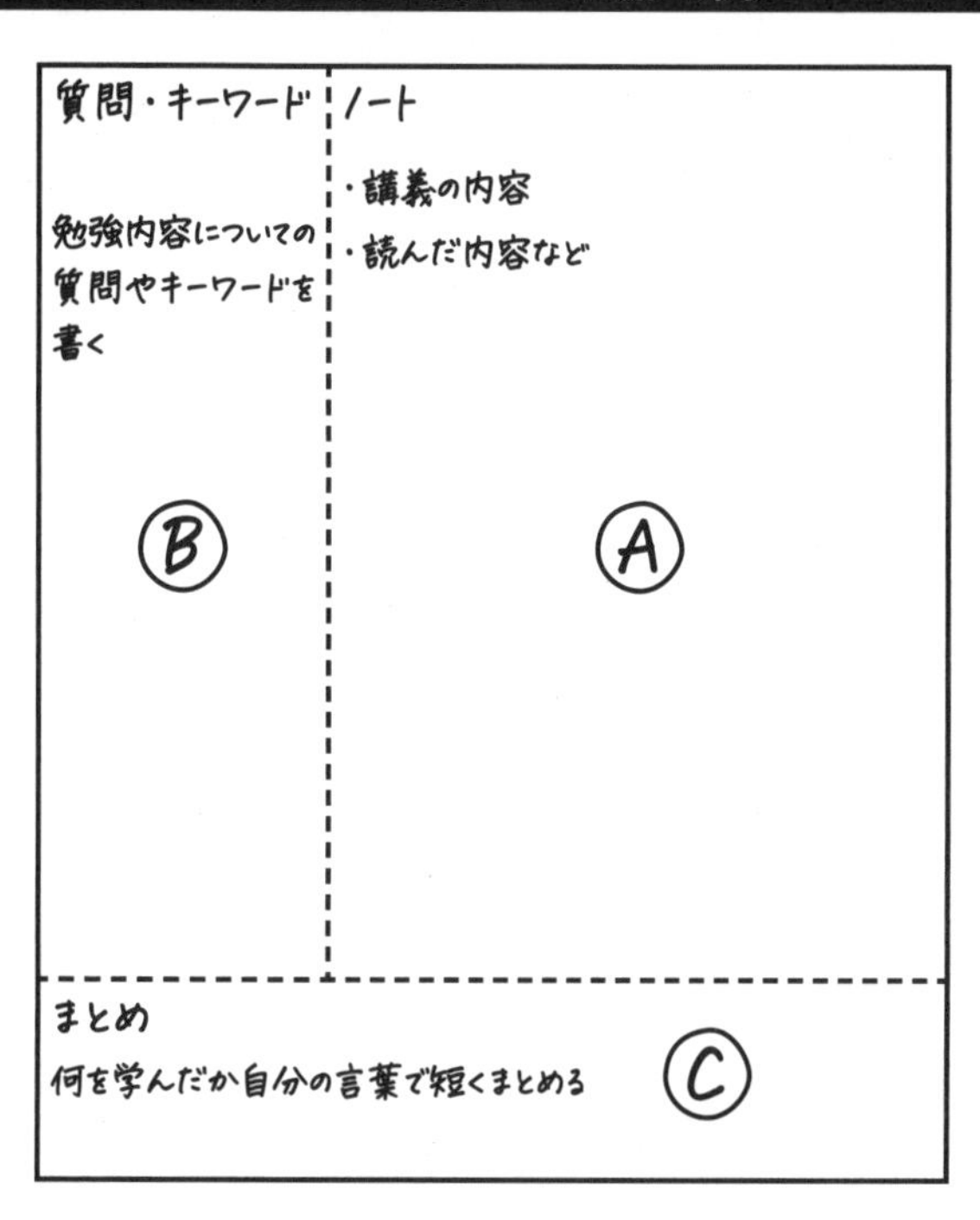

■パワーポイントのプレゼン資料に応用する場合の例

認知症の危険因子

- 運動不足
- 難聴
- 高血圧
- 外傷性脳損傷
- アルコール
- 肥満（BMI30以上）
- タバコ
- 社会的孤立
- うつ病
- 糖尿病
- 大気汚染
- 中等教育未修了

質問	ノート

例えば、DNAについてノートを取っている場合は、Ⓐにその情報を書き、Ⓑに「DNAは何の略か?」「DNAの塩基の種類は?」などと重要だと思う点についての質問を書いていきます。

そしてⒸのセクションには、自分の言葉で短くまとめます（ただ文字を抜き出すよりも効果的であることは以前の章で説明した通りです）。

復習する場合は、Ⓐのノートの部分を隠して、Ⓑの質問やキーワードからアクティブリコールできるか試してみます。

こうしたアクティブリコールができるノートのほうが、普通に読んで復習するだけのノートよりも効果的だと思います。

重要なのはあくまでもコーネル式ノート術のコンセプトであり、この通りにページを分割してノートを取らなければいけないということではありません。

例えば、ページの表面にノートを書き、裏面に質問を書く、ということもできます。

また、パワーポイントのプレゼンの資料でノートを書くスペースがあれば、自分で線を引いて分割して、左は質問、右はノートにすることもできます。

「本当に大切なこと」を忘れない・クリエイティブに勉強する

人生には「本当に大切なこと」と「大切だけど本当に大切なことよりも大切ではないこと」があると僕は思っています。試験や資格のための勉強、キャリアアップのための勉強などは、はっきり言って、僕は「本当に大切なこと」ではないと思っています。

勉強法の本なのに、こんなこと書いてしまっていいのかとも思いますが、人生には勉強よりも大切なことがあります。僕にとっては、例えば、家族や親しい友人との関係のほうが大切なことです。

しかし、勉強を頑張りすぎて精神的に追い詰められると「本当に大切なこと」を見失い、時には「本当に大切なこと」を犠牲にしてしまうことがあるかもしれません。

いくら勉強が大変でも、ユーモアを持ち続けること、人生を楽しむ視点を持ち続けること、大切な人のことを思いやること、そうしたことを忘れないようにしたいと考えています。

といっても、本当に大変な試験を受ける時は、ある程度時間を切り詰めて集中的に勉強したほうが良い時期もあります。

勉強量が無限にあるように思えたアメリカの医師国家試験と日本の医師国家試験の両方を勉強していた医学部6年生の時、僕は誘われる飲み会の類を、ほとんど断っていました。でも、仲の良い友人たちと会い、楽しい時間を過ごすことは自分にとってはとても大切なことだと考えていました。

そこで、当時一人暮らしをしていた僕は、友人たちに自分の家に集まってもらい、一定時間を談笑しては、自分の机に行き一定の時間勉強して、また友だちと遊ぶことを繰り返すという完全に空気の読めない遊び方（今振り返ってみると分散学習）をよくしていました。

あの時期の思い出は、今の自分には貴重です。もうあの頃のように大きなプレッシャーの中で勉強をすることはありませんが、専門医試験の勉強など（前述のようにアメリカでは10年ごとに専門医試験を受け直さなければなりません）をする時も、勉強以外の大切なことを意識しながら行っています。

本書を読んでいる方にとって、勉強以外の大切なこととは何でしょうか。

それは、友人、親、兄弟、配偶者、恋人、子どもとの関係かもしれませんし、趣味の時間だったりするかもしれません。

大きなプレッシャーの中で長時間勉強をしなければならない時も、勉強以外の自分にとって大切なことを忘れないように、クリエイティブに勉強を計画してみてください。そして「将来の自分」だけでなく、「今の自分」にも時間を使ってあげることを忘れないでください。

勉強にまつわる心・体・環境の整え方3

睡眠の大切さ

本書を読んでいるみなさんは、1日にどれくらい寝ていますか?

日中眠くなることがありますか?

もし、睡眠時間が7時間未満であったり、眠気を抑えながら読んでいたりする場合は、今日はできるだけ長く睡眠をとっていただきたいと思います。

日本では、睡眠時間を削って勉強や仕事をすることが美徳である、というような風潮があるように思います。


かくいう僕も、以前は睡眠不足で何かを頑張ることがなんとなく格好いい、という感覚を抱いていました。

睡眠は健康にとってきわめて重要であるにもかかわらず、その重要性は多くの人にとって過小評価されているように感じます。7時間未満の睡眠は、肥満、糖尿病、高血圧、心臓の病気、脳卒中、うつ病、そして死亡リスクの上昇などに関連があることが報告されています。

アメリカ睡眠医学会は、大人であれば7時間以上の睡眠をとることを推奨しています[125、126]。

2021年に経済協力開発機構（OECD）が33カ国を対象に行った睡眠時間に関する調査では、日本の1日の睡眠時間は7時間22分と、全体の平均8時間28分を大きく下回っており、調査した国の中で最も短いという結果でした。

これはあくまでも平均なので、働いている成人ではこれよりも睡眠時間が短い人が多いのではないでしょうか。

睡眠は、健康全般にとって重要であるだけでなく、学習や記憶にも大切な役割を果たし

推奨される睡眠時間

アメリカ睡眠医学会の推奨

年齢	推奨睡眠時間
4～11カ月	12～16時間
1～2歳	11～14時間
3～5歳	10～13時間
6～12歳	9～12時間
13～17歳	8～10時間
18～60歳	7時間以上

ているることがわかっています。

具体的には、私たちの脳が情報を最初に覚えたあと、記憶を安定させてより長期間保持するために固定（Consolidation）というプロセスを行いますが、この記憶の固定化は睡眠中に促進されることがわかっています[127]。

寝る、というとなんだか「脳が休んでいる」というイメージを持ってしまう人もいるかもしれません。けれども実際には、睡眠中に脳はとても活発に活動しているのです。

研究

睡眠と記憶に関しては、100年以上前から研究が行われてきました。

例えば、1923年に行われ翌年に発表された「Obliviscence during sleep and waking（睡眠と覚醒時の忘却）」という大変興味深い研究があります[128]。

この研究では、コーネル大学に通う学生2人に、約2カ月にわたって実験室とその隣の部屋で生活してもらいました。日中もしくは夜間に一度無意味な音節10個を覚えてもらい、時間が経ったあとにどれくらい忘れてしまうかについて調べました。

無意味な音節を覚える、というのは忘却について調べたエビングハウスが使った手法ですね。エビングハウスの実験で、忘却が、時間が経つと緩やかになるのは睡眠による効果ではないかという仮説を立て、この実験を行いました。

覚えたあとに寝ない場合（覚醒していてもらう場合）、朝の8〜10時に無意味な音節を覚えてもらい、1時間後、2時間後、4時間後、もしくは8時間後に実験室に戻ってきて、覚えた音節をできるだけ思い出してもらいました。覚えたあとに、すぐ寝てもらう場合は、夜11時半〜午前1時に覚えたあと、1時間後、2時間後、4時間後、もしくは8時間後に起きてもらい、できるだけ思い出

異なる長さの睡眠と覚醒期間が記憶に与える影響

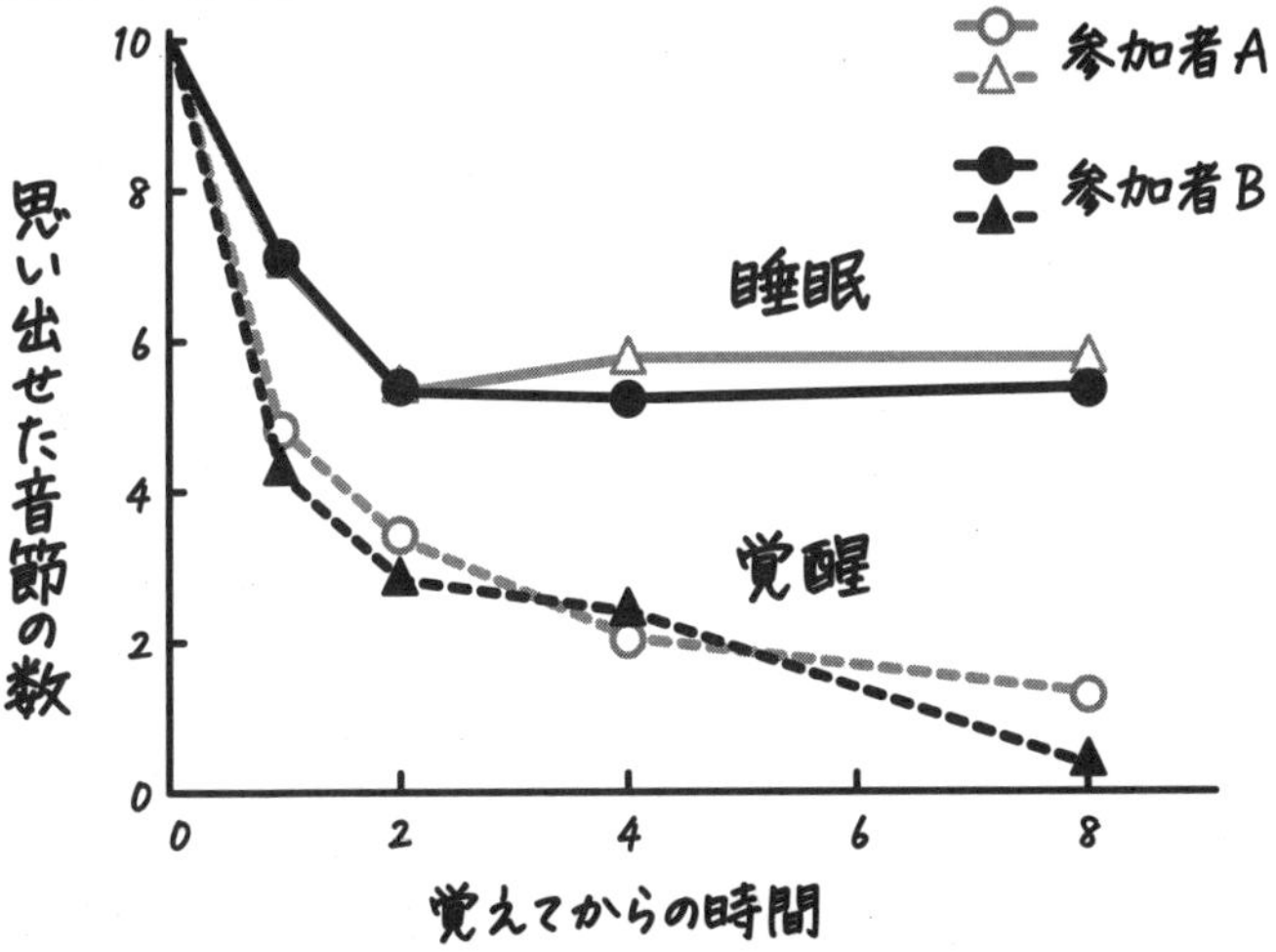

してもらいました（寝た1、2時間後に起こされるのはなんだかかわいそうな気もしますね）。これをそれぞれの間隔で8回ずつ行いました。

結果は、2人とも、覚えてから睡眠をとった時のほうが、覚えたあとそのまま覚醒していた時よりも、多くの音節を記憶しているというものでした。たった2人を対象とした調査ですが、興味深い結果です。

この実験を行った研究者たちは、何かを覚えたあとに覚醒していると、新しい情報が入ってくるため、覚えたことが曖昧になってしまうのに対して、覚えたあとに寝ると、新しい情報が入らず、記憶が干渉を受けないので記憶が保持できるのではないかと推測しました。

しかし、今日まで実に多くの研究が行われ、記憶への睡眠の役割は、単に覚醒時の新しい情報からの干渉を避けるということだけではないことがわかっています[127、129、130]。まだまだわかっていないことも多いのですが、睡眠中には、起きている時にできた記憶が能動的に整理され、再活性化されることでより安定したものになるようです。

また、何かを覚えたあと、いつ睡眠をとれば記憶の定着が良くなるかを調べた研究がいくつかあります。

研究

ある研究では、ドイツ語を知らない母国語が英語の高校生12人を対象に、朝8時もしくは夜8時に覚えてもらい、24時間後、または36時間後に、どれくらい覚えていられるかを調べました[131]。具体的な学習とテストのスケジュールは、以下の通りです。

①朝8時に覚えて、15時間後に寝て、24時間後（朝8時）にどれくらい忘れているかをテスト
②朝8時に覚えて、15時間後に寝て、36時間後（夜8時）にどれくらい忘れているかをテスト
③夜8時に覚えて、3時間後に寝て、24時間後（夜8時）にどれくらい忘れているかをテスト
④夜8時に覚えて、3時間後に寝て、また次の日も通常通りに寝てもらい、36時間後（朝8時）にどれくらい忘れているかをテスト

結果は次のグラフの通り、夜8時に勉強した場合（勉強して3時間で寝る）のほうが、忘れる率が低いという結果でした。

このように、何かを記憶したあとに、比較的早く寝たほうが覚えたことを忘れにくいことを示唆する研究は複数あります[132、133]。

覚えにくいものや、暗記が必要なものがあれば、寝る前に学習・復習することは有効であるかもしれません。何かを長期的に覚えておくことが学習の1つの目的であるならば、睡眠も学習の一部と捉えるべきだと言えるでしょう。

より良い睡眠のために、アメリカ睡眠医学会は以下のことを推奨しています。

①一貫した睡眠スケジュールを保つようにする。週末や休暇中でも、毎日同じ時間に起

学習した時刻による忘れる量の違い

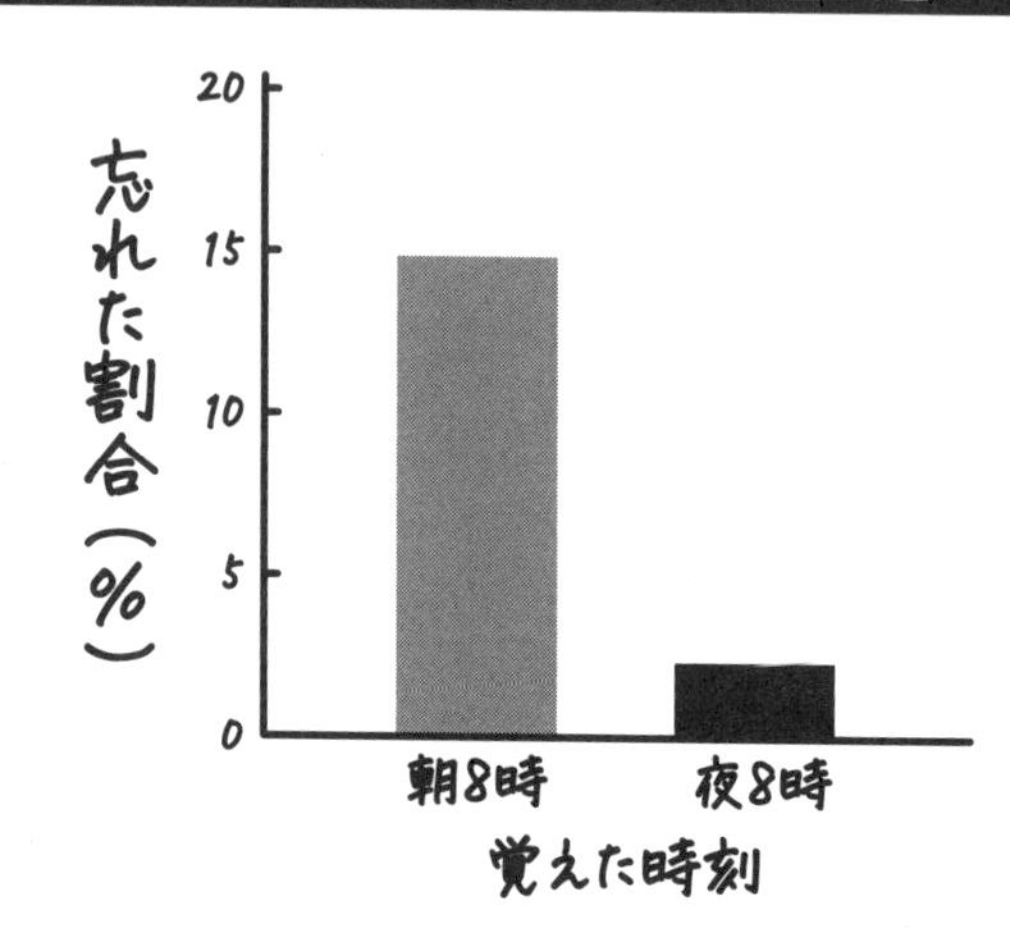

きるようにする。
②少なくとも7、8時間の睡眠が取れるように、早めの就寝時刻を予定する。
③眠くない時はベッドに行かない。
④ベッドに入って20分経っても眠れない場合は、ベッドから出て明るい光を避けて静かな活動をする。その際に電子機器を使わないことが重要。
⑤リラックスできる就寝前のルーチンを確立する。
⑥ベッドは、睡眠かセックスのためだけに使う。
⑦寝室を静かでリラックスできる空間にする。快適で涼しい室温を保つ。
⑧夕方以降は明るい光を避ける。
⑨就寝の少なくとも30分前には電子機器をオフにする。
⑩就寝前に大きな食事を避ける。夜にお腹(なか)が空(す)いたら、軽くて、健康的な食べ物を食べる。
⑪定期的に運動をして、健康的な食事を心がける。
⑫午後や夜にカフェインを摂取しない。
⑬就寝前のアルコール摂取を避ける。
⑭就寝前の水分摂取を控えめにする。

カフェイン、アルコールと睡眠の関係

意外と知られていないカフェインの半減期について補足します。

カフェインを摂取してから、血液中の濃度が最大になるのは、15分から2時間くらいです。この量が半分になる時間（半減期）は通常2時間半から6時間くらいなのですが、カフェインが体の中からなくなる時間には、かなり個人差があることがわかっています。これは、肝臓の酵素の代謝速度にかなり個人差があるためです。

カフェインの代謝が遅い人は、カフェインが体に残りやすく、午後の早い時間でも睡眠の質が落ちる可能性があります。

僕もコーヒーが大好きなので毎日飲みますが、カフェインによって睡眠に影響が出やすいため、午後2、3時以降はあまり飲まないようにしています（一方、僕の親や妻は、コーヒーや緑茶を寝る直前にガブ飲みしてもぐっすり寝ています）。

アルコールを飲んだあとに眠くなることがありますが、睡眠の質が悪くなってしまうため推奨されていません。

就寝前に水分を摂りすぎると夜間の尿の頻度が上がることがあるので、なるべく控えることが一般的には推奨されています。

復習ノート

☑睡眠不足はどのような病気と関連していますか？

☑睡眠が記憶に及ぼす影響は？

☑より良い睡眠のためにアメリカ睡眠医学会が推奨していることは何ですか？

☑精緻的質問と自己説明はどのように違いますか？

☑プロテジェ効果とは何ですか？　本書の内容の一部を家族や友人などに説明してみてください。

☑本書を置いて、何が書いてあったのか白紙に思い出せるだけ書き出してみてください。

勉強にまつわる心・体・環境の整え方4

運動の大切さ

私たちの脳の神経細胞は、年をとると共に、どんどん減っていきます。記憶にとって重要な働きをする海馬の萎縮は、加齢だけでなく、高血圧、糖尿病、心血管疾患、肥満、睡眠時無呼吸症候群、うつ病、頭の外傷、アルツハイマー病などのさまざまな病気と関連していることがわかっています[134]。

「脳細胞はどんどん減っていく」と聞くと、なんだか悲しい気持ちになりますが、朗報もあります。脳の中でも海馬などの限られた領域では、神経細胞は増殖できるのです。

研究

1997年のネイチャー誌に掲載された有名な論文を紹介します[135]。この研究では、ネズミを2つのグループに分けて飼育し、海馬の細胞数や、迷路（モリス水迷路）での学習能の違いを比較しました。

・Aグループ：回し車やトンネル、おもちゃなどがある刺激の多い飼育箱で育て、通常の餌だけでなく、チーズやリンゴ、ポップコーンなどの食事の種類も増やす
・Bグループ：通常の遊び道具がない飼育箱で通常の餌で育てる

その後のネズミの脳を調べてみると、より刺激的な環境で育ったAグループのネズミのほうが、海馬の中でも記憶にとって重要な歯状回にある神経細胞（顆粒細胞）の数が15%も多いことがわかりました。

さらに、空間記憶を調べるモリス水迷路という

歯状回の顆粒細胞の数

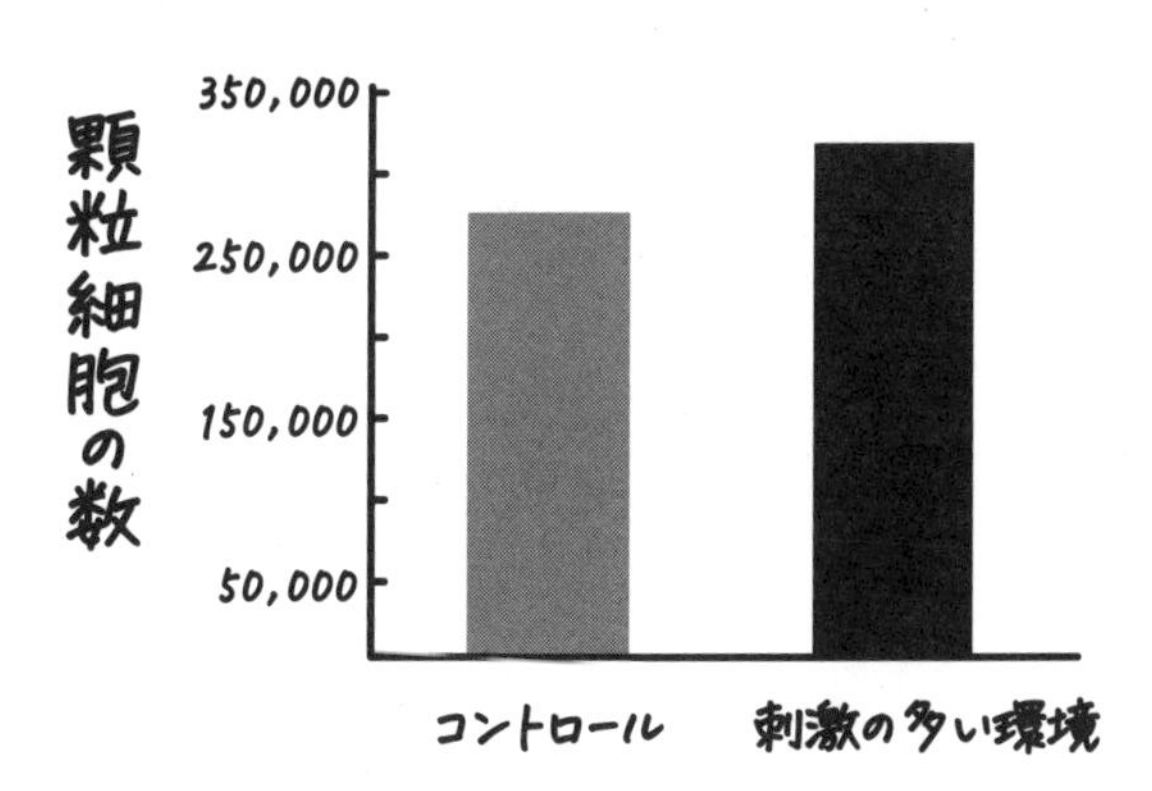

試験を行ったところ、より刺激的な環境で育てたネズミのほうが通常の飼育箱で育てたネズミよりも、より早く学習できました。刺激の多い環境でネズミを育てることで、海馬の細胞が増え、記憶力も向上するという面白い結果です。

人間でも脳にとって刺激の多い活動をしたほうが、認知機能にとって良いことを示唆する研究は数多くあります。

75歳〜85歳の人を長期的に追跡し、どういう人が認知症を発症するのかを調べた調査では、読書やボードゲーム、楽器の演奏やダンスなどの趣味がある人たちのほうが、認知症が発症するリスクが低いという結果がありました[136]。

先ほどのネズミの実験と同様に、人間でも、さまざまな活動によって海馬の細胞が増えることが報告されています。例えば、たくさん「学ぶ」ことによって海馬の細胞が増えることがあります。

ロンドンのブラック・キャブと呼ばれるタクシーの運転手になるには「The Knowledge」という難しい試験に合格する必要があります。ロンドンの複雑に入り組んだ2万5千もの通りの名前や2万以上のランドマークといった膨大な情報を覚えなければならず、学習には3、4年も要すると言われています。

ロンドンのタクシードライバーになるために勉強・訓練を受ける前と、3、4年後に認定試験に合格したあとの脳をMRIで調べたところ、海馬の一部が大きくなっていることがわかりました[137]。

また、ドイツの医学生を対象とした研究でも、ドイツの医師国家試験「Physikum」に向けて3カ月間毎日勉強したあとに、海馬の一部が大きくなっていたことが報告されています[138]。

頭を積極的に使うことによって、脳の一部は増殖することがあるのです。

そして、運動することによっても、海馬の細胞の増殖を促し、認知機能を向上させることが期待できます。

研究

2011年のエリクソンたちによる研究では、認知症を持たない55歳以上の人を対象に、有酸素運動が海馬に及ぼす影響を調べました[139]。参加者は1週間に中強度の有酸素運動を行うグループと、ただストレッチ運動を行うグループに分けられ、開始時、半年、1年後にMRIによって海馬の大きさが測定されました。ただストレッチ運動を行った人たちの海馬の容積は1年後に約1・4%減少したのに対し、有酸素運動を定期的に行った人たちでは海馬の容積が約2%増加するという結果でした。

運動が記憶などの認知機能へどのような影響を与えるのかを調べた研究は多く、似たような研究でも異なる結果が得られていることもあるため、短くまとめることがなかなか難しい状況があります[140、141]。

どのような人を対象に、どれくらいの負荷の運動をどれくらいの頻度で、どれくらいの時間やるのか、いつどのように効果を判定するのか、などによって結果が異なってきます。よって、たくさんの論文を、特定の基準に基づいて体系的かつ包括的に収集して要約するシステマティックレビューや、複数の研究結果を統計的に統合するメタアナリシスが複数存在します。

アメリカの身体活動ガイドラインのための諮問委員会が行った報告書では、過去の計76本ものメタアナリシスやシステマティックレビューを調べて、運動が認知機能に及ぼす影響を調べました[142]。この報告書では、一部の年齢層については研究がまだ十分ではないことに留意しつつも、中高強度の身体活動と認知機能の改善（学業成績や神経心理学的検査結果の向上、認知症リスクの低減など）との間には一貫した関連があると報告されています。

運動というと、定期的に長期間行わなければいけないと思われる方も多いかもしれません。でも、学習効果に関して言えば、1回だけの運動でも効果が期待できるのです。

先ほどのアメリカの諮問委員会の報告書でも、1回の運動でも、脳の実行機能、処理速度、集中力や記憶力を短期的に高める効果が期待できるとしています。

具体的にどのような運動に効果があるかについてははっきりとはわかっていませんが、低強度から中強度、11分から20分程度という運動でも効果があることが示唆されています。

調査された運動としては、早歩き、ジョギング、ランニング、サイクリングなどがあります。

また、長期記憶を改善するには、運動したあとで覚えたほうが記憶への定着は良いとする報告もあります[141]。

資格試験などに向けて長時間勉強しなければならない場合、一時的に集中力が途切れたら、早歩きの散歩やジョギングなど、10～20分の運動を取り入れてからまた勉強すると、気分転換にもなりますし、記憶の定着が促されるかもしれません。

運動が脳に良い効果をもたらす一因、BDNFとは

運動が脳に良い効果をもたらす一因として、Brain-derived neurotrophic factor（BDNF脳由来神経栄養因子）と呼ばれるタンパク質が挙げられます[143]。

BDNFは神経細胞の成長を促したり、シナプスの形成やシナプス間のつながりを強化したりと、脳の機能にとって重要な役割を果たしています[144、145]。

僕たちの脳で記憶が形成される時に、神経細胞と神経細胞の接合部であるシナプスで「長期増強（Long-term potentiation）」と呼ばれる情報伝達がより強く起きる変化が生じますが、BDNFはこの変化にも関与します。

1回の運動でもBDNFのレベルが上昇することがわかっていて、運動の認知機能への効果を考える際に注目されています（実際には、その他多くのプロセスが関わっています[146]）。

前のセクションでは、学ぶうえで睡眠がどれほど重要かをお話ししましたが、運動と睡眠はより効果的な学習ができるようになるための土台作りであるとも言えます。

運動の健康への良い効果は、認知症のリスクの低下や認知機能の改善だけでなく、以下の通り多岐にわたります。

- 総死亡率の低下
- 心臓血管疾患による死亡率の低下
- 高血圧の予防
- 糖尿病の予防
- 脂質異常症の改善
- 睡眠の改善

■不安症・うつ病の予防
■転倒の予防
■肺がん、胃がん、子宮体がん、大腸がん、乳がん、膀胱がん、腎臓がんなどのリスク低下

僕は医者として、運動は素晴らしい薬だと思っています。

勉強を効率化するためだけでなく、より長く、健康的な人生の時間を過ごすために、体を動かすことを積極的に生活に取り入れるようにしましょう。


アメリカの身体活動ガイドラインでは、大人だと1週間に150分から300分の中強度の有酸素運動、もしくは75分から150分の高強度の有酸素運動が推奨されています[142]。

中強度の有酸素運動の例としては、早歩き、水中でのエアロビクス、自転車をゆっくり漕ぐこと、庭仕事などが挙げられます。

高強度の有酸素運動としては、ランニング、テニス、水泳、サイクリング、ハイキング、縄跳びなどがあります。

これに加え、週2日以上の筋力トレーニングが推奨されています。

1週間に150分というと、週に5日間30分ずつ運動をするという計算になります。忙しく働いている人であればこの時間を確保することが難しい人もいるでしょう。そうした人は、通勤時や働いている時に、少しでもエネルギー消費を伴う行動ができないかを考えてみてください。

僕も病院で働いていて、帰ってからまとまった時間有酸素運動をすることが難しい日は、病院でエレベーターを使わず階段だけを使うようにしています。

週末などの休みの日に集中して運動する人を英語ではWeekend Warrior（週末戦士）と言ったりします。こうした限られた日しか運動できない人でも、運動による健康の効果が大きいことが確認されています[147,148]。

以上、モチベーションを保つことや、運動すること、寝ることがいかに勉強にとって大事かを説明してきました。

こう考えると、「どうしたらより効果的な勉強ができるのか」ということを考える時、効率的な情報のインプットとアウトプットといった技術的なことだけを考えるだけでなく、心身共にできるだけ良い状態に保つことにも十分注意する必要があると言えます。

復習ノート

☑脳の中で、神経細胞が増える場所はどこですか？

☑運動は海馬の細胞数や認知機能にどのように影響を与えますか？

☑運動が認知機能に良い影響を与える一因として注目されているタンパク質は何でしょうか？

☑身体活動・運動が健康に及ぼす良い影響について教えてください。

☑精緻的質問とは何ですか？

☑アクティブリコールには、どのような方法がありますか？

勉強にまつわる心・体・環境の整え方5

勉強で不安を感じた時

「これだけ時間と労力を費やしているけれど、努力が水の泡になるかもしれない」
「本番で調子が出せず、大失敗したらどうしよう」

高い目標に向かって勉強している時ほど、こうした不安に駆られることがあるかもしれません。

僕も、1回の受験で、できるだけ高い点数で合格しなければならなかったアメリカの医師国家試験の勉強をしている時や、狭き門と考えていたアメリカでのポジションの選考過程の前に、不安感を覚えることがありました。何千人という優秀な外国人の医者たちの中から、果たして自分は採用されるのだろうか、と。

未来のことを考えることは大切ですが、やらなければいけないことが多く、不安になってしまうこともあると思います。そんな時、僕が意識したことは「今日、一日の区切りで生きる（Live in day-tight compartments）」ということです。

これは、デール・カーネギーの本「How to Stop Worrying and Start Living」（そのまま日本語に訳すと「心配するのをやめて、生き始める方法」。邦題『道は開ける』）でも紹介されているウィリアム・オスラーの言葉です。

ウィリアム・オスラーは、4つの大学の教授を歴任し、ジョンズ・ホプキンズ大学医学部創設者の1人として近代医学教育の基礎を築いた著名な内科医です。彼は、歴史家トーマス・カーライルの「我々にとって大切なことは、遠くにぼんやりと存在するものに目をやることではなく、手近にはっきりと存在することを実行することだ」という言葉に深く共感したといいます。

未来に不安を感じ、過去の出来事を後悔するのではなく、鉄のカーテンで未来と過去を閉め出し、「今日、一日の区切りで生きる」習慣を身に付けるように心がけるべきだとウィリアム・オスラーは言います。

過去の失敗にくよくよ悩んだり、未来のことで不必要に不安になったりするのではなく、今できる、目の前のことを精一杯やればいいのだと、勇気をもらった言葉です。

またこの言葉はミヒャエル・エンデの『モモ』に出てくるベッポという掃除夫のおじいさんの言葉に共通しているように思います。僕の好きな言葉を紹介します。

「とっても長い道路をうけもつことがあるんだ。おっそろしく長くて、これじゃとてもやりきれない、こう思ってしまう」

（中略）

「いちどに道路ぜんぶのことを考えてはいかん、わかるかな？ つぎの一歩のことだけ、つぎのひと呼吸（いき）のことだけ、つぎのひと掃きのことだけを考えるんだ。いつもただつぎのことだけをな。」

（中略）

「ひょっと気がついたときには、一歩一歩すすんできた道路がぜんぶおわってる。どうやってやりとげたかは、じぶんでもわからんし、息もきれてない。」

ベッポはひとりうなずいて、こうむすびます。

「これがだいじなんだ。」

「自分にはできるだろうか」「自分は試験に合格できるだろうか」……。

やらなければいけないことが多くて、自分には達成できるのだろうかと不安を感じてしまうことがあるかもしれません。

そんな時は、今日解ける30問、今日覚えられる単語・用語というように、目の前の限られた範囲の勉強に集中する。1日、1日がそうして過ぎていく。そうすると小さな行動が積み上がり、何か大きな結果につながっていくのです。

これは仕事でも同様だと思います。

不安や焦りを感じた時、ネガティブな感情に対処する「ジャーナリング」

また、試験に対し不安を感じている時は、自分の感情や考えを「書き出す」ことをお勧めします。

研究

サイエンス誌に掲載された研究では、学年最初の期末試験を受ける高校生を対象に、試験前に自身の感情や考えを書き出すことの効果を調べました[149]。
試験の6週間前に、試験に対する不安の度合いを調査し、学生を2つのグループに分けました。

- Aグループ：試験直前に10分間、試験についての感情や考えを自由に書いてもらう
- Bグループ：試験に関連のないトピックについて書いてもらう

研究の結果、不安を強く感じていた学生の中で、試験直前に自分の感情を書き出した学生たちは、書き出さなかった学生たちに比べて試験成績が良かったということがわかりました。

不安や焦りなど、自分のネガティブな感情に対処するために僕が行う有効な方法として、**ジャーナリング**があります[150、151]。ただ起きた出来事や感情だけを記す日記ではなく、ある出来事に対する自分の感情や考えと、それに対する自分の理解や、取ろうとしている対処法などについて書きます。

ジャーナリングは学習だけでなく、人生のさまざまな局面で役に立ちます。

先ほどの『道は開ける』でも、悩みを解決する方法として以下のことを書き出す

ことを勧めています。

①悩んでいる事柄を詳しく書き記す。
②それについて自分にできることを書き記す。
③どうするかを決断する。
④その決断を直ちに実行する。

僕は病院で働いているため、よく死というものに向き合います。

自分よりも若くして亡くなっていく方も多く看取ってきました。今の医学の最善を尽くしても病気が進行し亡くなってしまう時、無力感を感じることもあります。亡くなる方の周りの家族の強い感情とも向き合います。

僕は医者として普段は平気なふりをしようとしていますが、時に大きな感情が蠢いていて、自分が影響を受けていることに気付きます。そんな時は、自分の感情とそれに対する自分の考えを書き出すようにします。


2章（P96）で、自分自身の思考に対する認識や理解であるメタ認知が、学習には大切だという話を書きました。ジャーナリングは、学習においても大切なメタ認知を鍛える良い手段だと思います。

勉強を頑張っている、あなたへ

最後に、現在プレッシャーの中で勉強をしている方に向けてメッセージを書かせてください。

僕がYouTubeに勉強法の動画を投稿したあと、一生懸命に勉強をしている多くの方々からコメントをいただきました。医学部を目指している高校生、会計士や税理士などの資格のために勉強している方々、外国語の勉強を頑張っている方、年齢的に不安を感じながらも新しい学問に挑戦している方、再就職のために勉強を頑張っている方、アメリカやカナダなど海外で資格試験の勉強をしている方々……。

何か大きな目標に向かって勉強している時、「自分ならできる」という自分がいる一方で、心のどこかで「自分にはできないかもしれない」というもう一人の自分もいるかもしれません。プレッシャーの中で、多くの時間と労力を費やして日々コツコツと勉強することは、孤独な作業でもあります。自分にとって目指しているものがどれだけ大切なのか、勉強がどれだけ大変なのか、その感覚は他の人は感じることはできません。

僕も、そんな孤独とプレッシャーを感じている時期がありました。

そんな時期のことです。アメリカでの医者になるための実技試験を受けたり、病院での採用面接を受けたりするために、アメリカに行かなければならないことが何度かありました。

ある夜、空港に向かうシャトルバスに乗っていた時、隣に座っていたアメリカ人の女性と話すことがありました。少し話したあと、僕がアメリカで医者になることを目指しているが、外国人医師にとっては難しいのでどうなるかわからない、ということを話しました。自信がなさそうに映ったのか、彼女が僕に、「あなたならできると思います」とはっきりと言いました。

初めて会って話すよく知らない人に、そんなことが言えるのか、とその時は少し驚きました。彼女の顔はすでに忘れてしまったけれど、その言葉は不思議と心に残り、少しだけ僕のことを励ましてくれたように思います。

「あなたならできると思います」

YouTubeのコメント欄に書き込んでくれた方々のような、大きな壁を越えるために今勉強を頑張っている人がこれを読んでいるならば、そう伝えたいと思います。本書では、勉強法を中心に、時には小難しいことについて長々と書いてきましたが、そんなシンプルなメッセージをお伝えしたい、それがこの本を書く大きな動機の1つでした。

おわりに

2020年4月頃、僕はアメリカで働く臨床医として、多くの新型コロナウイルス感染症の患者さんを診るようになりました。

病院には何百人という感染者が入院し、多くの方が亡くなる日々が続きました。患者さんの急変を知らせる「ラピッド・レスポンス」の院内放送が、訪問者のいない静かな病棟で頻回に鳴り響き、重苦しい雰囲気が漂っていました。

感染防護具、特にN95マスクが不足し、何週間も同じマスクを使い続けたり、他の人が使用したものを消毒して再利用したりすることが日常となりました。

新しい急性ウイルス性の疾患によって、これだけ多くの方が苦しみ、有効な治療もないまま亡くなっていくというのは信じ難いことでした。

自分がいつ感染するかわからない状況で、妻や子どもたちに移さないために、家族にはなるべく近づかず、2カ月間狭いクローゼットの床に布団を敷いて寝ていました。

狭い空間に毎晩横たわっていたあの時期、なぜ自分は悲観しすぎることなく、前を向いて自分の仕事を全うしようと思えたのか。それは、僕が心のどこかで人類の知というものを信じていたからだと思います。

自分はどうなるかよくわからないけど、今まで蓄積してきた知を結集して人類はこれを乗り越えられる、そういう確信にも近い予感が僕を支えていました。

その後、過去に蓄積されていた知識・技術の上に、新しい知識が急速に積み重ねられ、あの時の予感は、多くのものが失われてしまい反省する部分はあるものの、現実となりました。臨床の現場で働く医者として、人類の知の底力を強く感じた時期でした。

多くの人が不安を抱えながらも頑張っていた2020年、何か自分にできることはないだろうかと思い、始めたのが、医者としての知識を共有する活動でした。それがあとに勉強法に関するYouTube動画につながり、この本につながることになりました。

本書は、人間が長年行ってきた学術的な研究に基づく学習法について、少しでも多くの人に知ってもらいたいという思いで書きました。

僕たちは、こうして得られた知識により、学び方だけでなく教え方を改善させていく必要があると強く思うのです。

アクティブリコール・想起練習、分散学習、プロダクション効果、プロテジェ効果、精緻的質問、自己説明、インターリービング、古代からある記憶術、好奇心の大切さ、自己関連づけ効果、自己効力感、睡眠や運動の学習への効果など、これらの知識について普及させ、多くの人が実践することで、社会の知は深まり、より良い社会につながるのではないかという希望を持っています。

そして何より、僕とたまたま同じ時代に生きてこれを読んでいる方が、学び方を知ることで、自分の能力を最大限に発揮し、より良い人生を歩んでいただければ嬉(うれ)しく思います。

安川 康介（やすかわ こうすけ）

2007年慶應義塾大学医学部卒。
日本赤十字社医療センターにて初期研修後、渡米。米国ミネソタ大学医学部内科研修、テキサス州ベイラー医科大学感染症研修修了。米国内科専門医・米国感染症専門医。南フロリダ大学医学部助教。

科学的根拠に基づく最高の勉強法

2024年2月15日　初版発行
2024年11月10日　8版発行

著者／安川 康介

発行者／山下 直久

発行／株式会社KADOKAWA
〒102-8177　東京都千代田区富士見2-13-3
電話 0570-002-301(ナビダイヤル)

印刷所／TOPPANクロレ株式会社

製本所／TOPPANクロレ株式会社

●お問い合わせ
https://www.kadokawa.co.jp/（「お問い合わせ」へお進みください）
※内容によっては、お答えできない場合があります。
※サポートは日本国内のみとさせていただきます。
※Japanese text only

定価はカバーに表示してあります。

ISBN 978-4-04-606723-4　C0030

参考文献

1.Karpicke JD, Butler AC, Roediger HL. Metacognitive strategies in student learning: do students practise retrieval when they study on their own? *Memory*. 2009;17(4):471-9.

2.Rawson KA, Kintsch W. Rereading Effects Depend on Time of Test. *Journal of Educational Psychology*. 2005;97(1):70-80.

3.Callender AA, McDaniel MA. The limited benefits of rereading educational texts. *Contemporary Educational Psychology*. 2009;34(1):30-41.

4.Rothkopf EZ. Textual constraint as function of repeated inspection. *Journal of Educational Psychology*. 1968;59(1):20-25.

5.Dunlosky J, Rawson KA, Marsh EJ, Nathan MJ, Willingham DT. Improving Students' Learning with Effective Learning Techniques: Promising Directions from Cognitive and Educational Psychology. *Psychol Sci Public Interest*. 2013;14(1):4-58.

6.Brown PC, Roediger HL, McDaniel MA. *Make It Stick: The Science of Successful Learning*. The Belknap Press of Harvard University Press; 2014.

7.Bjork EL, Bjork RA. Making things hard on yourself, but in a good way: Creating desirable difficulties to enhance learning. In: Gernsbacher MA, Pew RW, Hough LM, Pomerantz JR, eds. *Psychology and the Real World: Essays Illustrating Fundamental Contributions to Society*. Worth Publishers; 2011:56-64.

8. 石井 英真 .「改訂版タキソノミー」によるブルーム・タキソノミーの再構築：知識と認知過程の二次元構成の検討を中心に . *教育方法学研究* . 2003;28:47-58.

9.Anderson LW, Krathwohl DR, Bloom BS. *A Taxonomy for Learning, Teaching, and Assessing : A Revision of Bloom' s Taxonomy of Educational Objectives*. Complete ed. Longman; 2001.

10.Bretzing BH, Kulhavy RW. Notetaking and depth of processing. *Contemporary Educational Psychology*. 1979;4(2):145-153.

11.Bednall TC, James Kehoe E. Effects of self-regulatory instructional aids on self-directed study. *Instructional Science*. 2011;39(2):205-226.

12.Rinehart SD, Stahl SA, Erickson LG. Some Effects of Summarization Training on Reading and Studying. *Reading Research Quarterly*. 1986;21(4):422-438.

13.Kobayashi K. What limits the encoding effect of note-taking? A meta-analytic examination. *Contemporary Educational Psychology*. 2005;30(2):242-262.

14.Fowler RL, Barker AS. Effectiveness of highlighting for retention of text material. *Journal of Applied Psychology*. 1974;59(3):358-364.

15.Peterson SE. The cognitive functions of underlining as a study technique. *Reading Research and Instruction*. 1992;31(2):49-56.

16.Regan ARG, Janet W, Amanda J. Focusing on How Students Study. *Journal of Scholarship of Teaching and Learning*. 2012;10(1):28-35.
17.Pashler H, McDaniel M, Rohrer D, Bjork R. Learning Styles: Concepts and Evidence. *Psychological Science in the Public Interest*. 2008;9(3):105-119.
18.Massa LJ, Mayer RE. Testing the ATI hypothesis: Should multimedia instruction accommodate verbalizer-visualizer cognitive style? *Learning and Individual Differences*. 2006;16(4):321-335.
19.Husmann PR, O'Loughlin VD. Another Nail in the Coffin for Learning Styles? Disparities among Undergraduate Anatomy Students' Study Strategies, Class Performance, and Reported VARK Learning Styles. *Anatomical Sciences Education*. 2019;12(1):6-19.
20.Roediger HL, Karpicke JD. Test-Enhanced Learning: Taking Memory Tests Improves Long-Term Retention. *Psychological Science*. 2006;17(3):249-255.
21.Karpicke JD, Blunt JR. Retrieval Practice Produces More Learning than Elaborative Studying with Concept Mapping. *Science*. 2011;331(6018):772-775.
22.Gates AI. Recitation as a factor in memorizing. *Archives of Psychology*. 1917;40
23.Abbott EE. On the analysis of the factor of recall in the learning process. *The Psychological Review: Monograph Supplements*. 1909;11(1):159-177.
24.Roediger HL, Agarwal PK, McDaniel MA, McDermott KB. Test-enhanced learning in the classroom: long-term improvements from quizzing. *Journal of Experimental Psychology: Applied*. 2011;17(4):382-95.
25.McDaniel MA, Agarwal PK, Huelser BJ, McDermott KB, Roediger Iii HL. Test-enhanced learning in a middle school science classroom: The effects of quiz frequency and placement. *Journal of Educational Psychology*. 2011;103(2):399-414.
26.Glover JA. The "testing" phenomenon: Not gone but nearly forgotten. *Journal of Educational Psychology*. 1989;81(3):392-399.
27.Kang SHK, McDermott KB, Roediger Iii HL. Test format and corrective feedback modify the effect of testing on long-term retention. *European Journal of Cognitive Psychology*. 2007;19(4-5):528-558.
28.Carpenter SK, Delosh EL. Impoverished cue support enhances subsequent retention: Support for the elaborative retrieval explanation of the testing effect. *Memory & Cognition*. 2006;34(2):268-276.
29.Carpenter SK, Pashler H, Wixted JT, Vul E. The effects of tests on learning and forgetting. *Memory & Cognition*. 2008;36(2):438-48.
30.MacLeod CM, Bodner GE. The Production Effect in Memory. *Current Directions in Psychological Science*. 2017;26(4):390-395.

31.Forrin ND, MacLeod CM. This time it's personal: the memory benefit of hearing oneself. *Memory*. 2018;26(4):574-579.
32.Kobayashi K. Learning by Preparing-to-Teach and Teaching: A Meta-Analysis. *Japanese Psychological Research*. 2019;61(3):192-203.
33.Fiorella L, Mayer RE. Eight Ways to Promote Generative Learning. *Educational Psychology Review*. 2016;28(4):717-741.
34.Nestojko JF, Bui DC, Kornell N, Bjork EL. Expecting to teach enhances learning and organization of knowledge in free recall of text passages. *Memory & Cognition*. 2014;42(7):1038-48.
35.Anderson MC, Hulbert JC. Active Forgetting: Adaptation of Memory by Prefrontal Control. *Annual Review of Psychology*. 2021;72(1):1-36.
36.Davis RL, Zhong Y. The Biology of Forgetting—A Perspective. *Neuron*. 2017;95(3):490-503.
37.Parker ES, Cahill L, McGaugh JL. A case of unusual autobiographical remembering. *Neurocase*. 2006;12(1):35-49.
38.Kang SHK. Spaced Repetition Promotes Efficient and Effective Learning: Policy Implications for Instruction. *Policy Insights from the Behavioral and Brain Sciences*. 2016;3(1):12-19.
39.Ebbinghaus H. *Memory: A contribution to experimental psychology*. Dover; 1964.
40.Bahrick HP. Maintenance of knowledge: Questions about memory we forgot to ask. *Journal of Experimental Psychology: General*. 1979;108(3):296-308.
41.Sobel HS, Cepeda NJ, Kapler IV. Spacing effects in real - world classroom vocabulary learning. *Applied Cognitive Psychology*. 2011;25(5):763-767.
42.Cepeda NJ, Pashler H, Vul E, Wixted JT, Rohrer D. Distributed practice in verbal recall tasks: A review and quantitative synthesis. *Psychological Bulletin*. 2006;132(3):354-380.
43.Cepeda NJ, Vul E, Rohrer D, Wixted JT, Pashler H. Spacing effects in learning: a temporal ridgeline of optimal retention. *Psychological Science*. 2008;19(11):1095-102.
44.The true history of spaced repetition. https://www.supermemo.com/en/blog/the-true-history-of-spaced-repetition
45.Kang SH, Lindsey RV, Mozer MC, Pashler H. Retrieval practice over the long term: should spacing be expanding or equal-interval? *Psychon Bull Rev*. 2014;21(6):1544-50.
46.Geller J, Toftness AR, Armstrong PI, et al. Study strategies and beliefs about learning as a function of academic achievement and achievement goals. *Memory*. 2018;26(5):683-690.

47.Rawson KA, Dunlosky J. Successive Relearning: An Underexplored but Potent Technique for Obtaining and Maintaining Knowledge. Current Directions in *Psychological Science*. 2022;31(4):362-368.
48.Carpenter SK, Pan SC, Butler AC. The science of effective learning with spacing and retrieval practice. *Nature Reviews Psychology*. 2022;1(9):496-511.
49.Rawson KA, Dunlosky J, Sciartelli SM. The Power of Successive Relearning: Improving Performance on Course Exams and Long-Term Retention. *Educational Psychology Review*. 2013;25(4):523-548.
50.Roediger HL, Pyc MA. Inexpensive techniques to improve education: Applying cognitive psychology to enhance educational practice. *Journal of Applied Research in Memory and Cognition*. 2012;1(4):242-248.
51.Woloshyn VE, Willoughby T, Wood E, Pressley M. Elaborative interrogation facilitates adult learning of factual paragraphs. *Journal of Educational Psychology*. 1990;82(3):513-524.
52.Smith BL, Holliday WG, Austin HW. Students' comprehension of science textbooks using a question-based reading strategy. *Journal of Research in Science Teaching*. 2010;47(4):363-379.
53.Yuan Q, Li M, Desch SJ, et al. Moon-forming impactor as a source of Earth's basal mantle anomalies. *Nature*. 2023;623(7985):95-99.
54.Bisra K, Liu Q, Nesbit JC, Salimi F, Winne PH. Inducing Self-Explanation: a Meta-Analysis. *Educational Psychology Review*. 2018;30(3):703-725.
55.Chi MTH, De Leeuw N, Chiu M-H, Lavancher C. Eliciting Self-Explanations Improves Understanding. *Cognitive Science*. 1994;18(3):439-477.
56.Kerr R, Booth B. Specific and Varied Practice of Motor Skill. *Perceptual and Motor Skills*. 1978;46(2):395-401.
57.Shea JB, Morgan RL. Contextual interference effects on the acquisition, retention, and transfer of a motor skill. *Journal of Experimental Psychology: Human Learning and Memory*. 1979;5(2):179-187.
58.Goode S, Magill RA. Contextual Interference Effects in Learning Three Badminton Serves. *Research Quarterly for Exercise and Sport*. 1986;57(4):308-314.
59.Brady F. The contextual interference effect and sport skills. *Perceptual and Motor Skills*. 2008;106(2):461-72.
60.Porter JM, Landin D, Hebert EP, Baum B. The Effects of Three Levels of Contextual Interference on Performance Outcomes and Movement Patterns in Golf Skills. *International Journal of Sports Science & Coaching*. 2007;2(3):243-255.
61.Kalkhoran JF, Shariati A. The Effects of Contextual Interference on Learning Volleyball Motor Skills. *Journal of Physical Education & Sport*. 2012;12(4):550-556.

62.Hall KG, Domingues DA, Cavazos R. Contextual interference effects with skilled baseball players. *Perceptual and Motor Skills*. 1994;78(3 Pt 1):835-41.
63.Stambaugh LA. When Repetition Isn't the Best Practice Strategy: Effects of Blocked and Random Practice Schedules. *Journal of Research in Music Education*. 2011;58(4):368-383.
64.Abushanab B, Bishara AJ. Memory and metacognition for piano melodies: Illusory advantages of fixed- over random-order practice. *Memory & Cognition*. 2013;41(6):928-937.
65.Rohrer D, Taylor K. The shuffling of mathematics problems improves learning. *Instructional Science*. 2007;35(6):481-498.
66.Taylor K, Rohrer D. The effects of interleaved practice. *Applied Cognitive Psychology*. 2010;24(6):837-848.
67.Rohrer D, Dedrick RF, Hartwig MK, Cheung C-N. A randomized controlled trial of interleaved mathematics practice. *Journal of Educational Psychology*. 2020;112(1):40-52.
68.Firth J, Rivers I, Boyle J. A systematic review of interleaving as a concept learning strategy. *Review of Education*. 2021;9(2):642-684.
69.Hatala RM, Brooks LR, Norman GR. Practice makes perfect: the critical role of mixed practice in the acquisition of ECG interpretation skills. *Adv Health Sci Educ Theory Pract*. 2003;8(1):17-26.
70.Eglington LG, Kang SHK. Interleaved Presentation Benefits Science Category Learning. *Journal of Applied Research in Memory and Cognition*. 2017;6(4):475-485.
71.Wahlheim CN, Dunlosky J, Jacoby LL. Spacing enhances the learning of natural concepts: an investigation of mechanisms, metacognition, and aging. *Memory & Cognition*. 2011;39(5):750-63.
72.Yan VX, Soderstrom NC, Seneviratna GS, Bjork EL, Bjork RA. How should exemplars be sequenced in inductive learning? Empirical evidence versus learners' opinions. *Journal of Experimental Psychology: Applied*. 2017;23(4):403-416.
73.Kornell N, Bjork RA. Learning concepts and categories: Is spacing the "enemy of induction?". *Psychological Science*. 2008;19(6):585-592.
74.Hausman H, Kornell N. Mixing topics while studying does not enhance learning. *Journal of Applied Research in Memory and Cognition*. 2014;3(3):153-160.
75.Rau MA, Aleven V, Rummel N. Blocked versus interleaved practice with multiple representations in an intelligent tutoring system for fractions. In: Aleven V, Kay J, Mostow J, eds. *Intelligent Tutoring Systems*. Springer Berlin/Heidelberg; 2010.

76.Hamann S. Cognitive and neural mechanisms of emotional memory. *Trends Cogn Sci*. 2001;5(9):394-400.
77. ヘレンニウスへ：記憶術の原典．貴重資料研究会翻訳．
78.Maguire EA, Valentine ER, Wilding JM, Kapur N. Routes to remembering: the brains behind superior memory. *Nature Neuroscience*. 2003;6(1):90-95.
79.Atkinson RC, Raugh MR. An application of the mnemonic keyword method to the acquisition of a Russian vocabulary. *Journal of Experimental Psychology: Human Learning and Memory*. 1975;1(2):126-133.
80.Hulleman CS, Harackiewicz JM. Promoting interest and performance in high school science classes. *Science*. 2009;326(5958):1410-1412.
81.Hulleman CS, Godes O, Hendricks BL, Harackiewicz JM. Enhancing interest and performance with a utility value intervention. *Journal of Educational Psychology*. 2010;102(4):880-895.
82.Guo J, Marsh HW, Morin AJS, Parker PD, Kaur G. Directionality of the associations of high school expectancy-value, aspirations, and attainment: A longitudinal study. *American Educational Research Journal*. 2015;52(2):371-402.
83.Valentine JC, DuBois DL, Cooper H. The relation between self-beliefs and academic achievement: A meta-analytic review. *Educational Psychologist*. 2004;39(2):111-133.
84.O' Mara AJ, Marsh HW, Craven RG, Debus RL. Do Self-Concept Interventions Make a Difference? A Synergistic Blend of Construct Validation and Meta-Analysis. *Educational Psychologist*. 2006;41(3):181-206.
85.Bandura A. *Self-efficacy: The Exercise of Control*. WH Freeman & Co; 1997.
86.Zimmerman BJ. Self-Efficacy: An Essential Motive to Learn. *Contemporary Educational Psychology*. 2000;25(1):82-91.
87.Multon KD, Brown SD, Lent RW. Relation of self-efficacy beliefs to academic outcomes: A meta-analytic investigation. *Journal of Counseling Psychology*. 1991;38(1):30-38.
88.Rottinghaus PJ, Larson LM, Borgen FH. The relation of self-efficacy and interests: A meta-analysis of 60 samples. *Journal of Vocational Behavior*. 2003;62(2):221-236.
89.Usher EL, Pajares F. Sources of Self-Efficacy in School: Critical Review of the Literature and Future Directions. *Review of Educational Research*. 2008;78(4):751-796.
90.Bandura A, Schunk DH. Cultivating competence, self-efficacy, and intrinsic interest through proximal self-motivation. *Journal of Personality and Social Psychology*. 1981;41(3):586-598.

91.Schunk DH, Ertmer PA. Self-Regulation and Academic Learning: Self-Efficacy Enhancing Interventions. In Boekaerts M, Pintrich PR, Zeidner M, eds. *Handbook of Self-Regulation*. Academic Press; 2000: 631-649.

92.Schunk DH. Progress self-monitoring: Effects on children' s self-efficacy and achievement. *Journal of Experimental Education*. 1982;51(2):89-93.

93.Lan WY, Bradley L, Parr G. The Effects of a Self-Monitoring Process on College Students' Learning in an Introductory Statistics Course. *Journal of Experimental Education*. 1993;62(1):26-40.

94.Schlarb AA, Kulessa D, Gulewitsch MD. Sleep characteristics, sleep problems, and associations of self-efficacy among German university students. *Nature and Science of Sleep*. 2012;4:1-7.

95.McAuley E, Blissmer B. Self-Efficacy Determinants and Consequences of Physical Activity. *Exercise and Sport Sciences Reviews*. 2000;28(2):85-88.

96.Ryan RM, Deci EL. *Self-Determination Theory: Basic Psychological Needs in Motivation, Development, and Wellness*. The Guilford Press; 2017.

97.Patrick H, Williams GC. Self-determination theory: its application to health behavior and complementarity with motivational interviewing. *Int J Behav Nutr Phys Act*. 2012;9:18.

98.Gagné M, Deci EL. Self-determination theory and work motivation. *Journal of Organizational Behavior*. 2005;26(4):331-362.

99.Black AE, Deci EL. The effects of instructors' autonomy support and students' autonomous motivation on learning organic chemistry: A self-determination theory perspective. *Science Education*. 2000;84(6):740-756.

100.Patall EA, Cooper H, Wynn SR. The effectiveness and relative importance of choice in the classroom. *Journal of Educational Psychology*. 2010;102(4):896-915.

101.Cordova DI, Lepper MR. Intrinsic motivation and the process of learning: Beneficial effects of contextualization, personalization, and choice. *Journal of Educational Psychology*. 1996;88(4):715-730.

102.Ryan RM, Rigby CS, Przybylski A. The motivational pull of video games: A self-determination theory approach. *Motivation and Emotion*. 2006;30(4):347-363.

103.Vansteenkiste M, Lens W, Deci EL. Intrinsic versus extrinsic goal contents in self-determination theory: Another look at the quality of academic motivation. *Educational Psychologist*. 2006;41(1):19-31.

104.Vansteenkiste M, Timmermans T, Lens W, Soenens B, Van den Broeck A. Does Extrinsic Goal Framing Enhance Extrinsic Goal-Oriented Individuals' Learning and

Performance? An Experimental Test of the Match Perspective Versus Self-Determination Theory. *Journal of Educational Psychology*. 2008;100(2):387-397.

105.Smith SM, Vela E. Environmental context-dependent memory: a review and meta-analysis. *Psychon Bull Rev*. 2001;8(2):203-20.

106.Smith SM, Glenberg A, Bjork RA. Environmental context and human memory. *Memory & Cognition*. 1978;6(4):342-353.

107.Roese NJ, Summerville A. What we regret most... and why. *Pers Soc Psychol Bull*. 2005;31(9):1273-85.

108.Gruber MJ, Ranganath C. How Curiosity Enhances Hippocampus-Dependent Memory: The Prediction, Appraisal, Curiosity, and Exploration (PACE) Framework. *Trends Cogn Sci*. 2019;23(12):1014-1025.

109.Kidd C, Hayden BY. The Psychology and Neuroscience of Curiosity. *Neuron*. 2015;88(3):449-60.

110.Isaacson W. *Einstein: His Life and Universe*. Simon & Schuster; 2007.

111.Hayakawa S, Komine-Aizawa S, Naganawa S, Shimuzu K, Nemoto N. The death of Izanami, an ancient Japanese goddess: an early report of a case of puerperal fever. *Med Hypotheses*. 2006;67(4):965-8.

112.Yamada T, Yamada T, Yamamura MK, et al. Invasive group A streptococcal infection in pregnancy. *J Infect*. 2010;60(6):417-24.

113. 新村拓 . 日本医療史 . 吉川弘文館 ; 2006.

114. 安川康介 . Mythology in Kojiki: A Medical Perspective. *日本医史学雑誌 = Journal of the Japanese Society for the History of Medicine*. 2020;66(3):267-283.

115.Deci EL, Ryan RM, Williams GC. Need satisfaction and the self-regulation of learning. *Learning and Individual Differences*. 1996;8(3):165-183.

116. スコット・H・ヤング . ULTRA LEARNING　超・自習法――どんなスキルでも最速で習得できる９つのメソッド . 小林啓倫 . ダイヤモンド社 ; 2020.

117.Gleick J. *Genius: The Life and Science of Richard Feynman*. Pantheon Books; 1992.

118.Froese AD, Carpenter CN, Inman DA, et al. Effects of classroom cell phone use on expected and actual learning. *College Student Journal*. 2012;46(2):323-332.

119.Ward AF, Duke K, Gneezy A, Bos MW. Brain Drain: The Mere Presence of One's Own Smartphone Reduces Available Cognitive Capacity. *Journal of the Association for Consumer Research*. 2017;2(2):140-154.

120.Wood W, Rünger D. Psychology of Habit. *Annual Review of Psychology*. 2016;67(1):289-314.

121.Bayer JB, Anderson IA, Tokunaga RS. Building and breaking social media habits. *Current Opinion in Psychology*. 2022;45:279-288.

122.Wamsley EJ. Offline memory consolidation during waking rest. *Nature Reviews Psychology*. 2022;1(8):441-453.
123.Raichle ME. The Brain's Default Mode Network. *Annual Review of Neuroscience*. 2015;38(1):433-447.
124.Vatansever D, Menon DK, Manktelow AE, Sahakian BJ, Stamatakis EA. Default Mode Dynamics for Global Functional Integration. *J Neurosci*. 2015;35(46):15254-62.
125.Panel CC. Recommended Amount of Sleep for a Healthy Adult: A Joint Consensus Statement of the American Academy of Sleep Medicine and Sleep Research Society. *Sleep*. 2015;38(6):843-844.
126.Chaput JP, Dutil C, Sampasa-Kanyinga H. Sleeping hours: what is the ideal number and how does age impact this? *Nat Sci Sleep*. 2018;10:421-430.
127.Rasch B, Born J. About sleep's role in memory. *Physiol Rev*. 2013;93(2):681-766.
128.Jenkins JG, Dallenbach KM. Obliviscence During Sleep and Waking. *The American Journal of Psychology*. 1924;35:605-612.
129.Klinzing JG, Niethard N, Born J. Mechanisms of systems memory consolidation during sleep. *Nature Neuroscience*. 2019;22(10):1598-1610.
130.Stickgold R. Sleep-dependent memory consolidation. *Nature*. 2005;437(7063):1272-1278.
131.Gais S, Lucas B, Born J. Sleep after learning aids memory recall. *Learn Mem*. 2006;13(3):259-62.
132.Bailes C, Caldwell M, Wamsley EJ, Tucker MA. Does sleep protect memories against interference? A failure to replicate. *PLoS One*. 2020;15(2):e0220419.
133.Payne JD, Tucker MA, Ellenbogen JM, et al. Memory for semantically related and unrelated declarative information: the benefit of sleep, the cost of wake. *PLoS One*. 2012;7(3):e33079.
134.Fotuhi M, Do D, Jack C. Modifiable factors that alter the size of the hippocampus with ageing. *Nature Reviews Neurology*. 2012;8(4):189-202.
135.Kempermann G, Kuhn HG, Gage FH. More hippocampal neurons in adult mice living in an enriched environment. *Nature*. 1997;386(6624):493-495.
136.Verghese J, Lipton RB, Katz MJ, et al. Leisure Activities and the Risk of Dementia in the Elderly. *New England Journal of Medicine*. 2003;348(25):2508-2516.
137.Woollett K, Maguire EA. Acquiring "the Knowledge" of London's layout drives structural brain changes. *Curr Biol*. 2011;21(24):2109-14.
138.Draganski B, Gaser C, Kempermann G, et al. Temporal and Spatial Dynamics of Brain Structure Changes during Extensive Learning. *Journal of Neuroscience*. 2006;26(23):6314-6317.

139.Erickson KI, Voss MW, Prakash RS, et al. Exercise training increases size of hippocampus and improves memory. *Proc Natl Acad Sci USA*. 2011;108(7):3017-22.
140.Chang YK, Labban JD, Gapin JI, Etnier JL. The effects of acute exercise on cognitive performance: A meta-analysis. *Brain Research*. 2012;1453:87-101.
141.Roig M, Nordbrandt S, Geertsen SS, Nielsen JB. The effects of cardiovascular exercise on human memory: a review with meta-analysis. *Neurosci Biobehav Rev*. 2013;37(8):1645-66.
142.Erickson KI, Hillman C, Stillman CM, et al. Physical Activity, Cognition, and Brain Outcomes: A Review of the 2018 Physical Activity Guidelines. *Med Sci Sports Exerc*. 2019;51(6):1242-1251.
143.Szuhany KL, Bugatti M, Otto MW. A meta-analytic review of the effects of exercise on brain-derived neurotrophic factor. *J Psychiatr Res*. 2015;60:56-64.
144.Miranda M, Morici JF, Zanoni MB, Bekinschtein P. Brain-Derived Neurotrophic Factor: A Key Molecule for Memory in the Healthy and the Pathological Brain. *Front Cell Neurosci*. 2019;13:363.
145.Binder DK, Scharfman HE. Brain-derived neurotrophic factor. *Growth Factors*. 2004;22(3):123-31.
146.Lista I, Sorrentino G. Biological Mechanisms of Physical Activity in Preventing Cognitive Decline. *Cellular and Molecular Neurobiology*. 2010;30(4):493-503.
147.Khurshid S, Al-Alusi MA, Churchill TW, Guseh JS, Ellinor PT. Accelerometer-Derived "Weekend Warrior" Physical Activity and Incident Cardiovascular Disease. *JAMA*. 2023;330(3):247-252.
148.O' Donovan G, Lee I-M, Hamer M, Stamatakis E. Association of "Weekend Warrior" and Other Leisure Time Physical Activity Patterns with Risks for All-Cause, Cardiovascular Disease, and Cancer Mortality. *JAMA Internal Medicine*. 2017;177(3):335-342.
149.Ramirez G, Beilock SL. Writing About Testing Worries Boosts Exam Performance in the Classroom. *Science*. 2011;331(6014):211-213.
150.Pennebaker JW. Writing about Emotional Experiences as a Therapeutic Process. *Psychological Science*. 1997;8(3):162-166.
151.Ullrich PM, Lutgendorf SK. Journaling about stressful events: Effects of cognitive processing and emotional expression. *Annals of Behavioral Medicine*. 2002;24(3):244-250.